FRÉDÉRIQUE CORRE MONTAGU
SOLEDAD BRAVI

le cahier grossesse
des paresseuses

Bonjour toi

MARABOUT

Sommaire

INTRODUCTION

Vous voilà embarquée dans la merveilleuse aventure de la grossesse, une aventure faite de découvertes et d'émerveillements qui se terminera par un tendre câlin...

Bon, ça, c'est la version officielle. Celle faite pour donner envie de faire des bébés. Et puis, il y a l'autre, plus terre à terre mais tellement plus vraie et plus drôle. Car vous allez vivre une véritable révolution faite de mille et un changements physiques, de mille et une choses à prévoir/organiser/acheter/décider, de mille et une situations nouvelles à gérer... Pfff, rien qu'en lisant ça, vous êtes fatiguée.

Et ce n'est pas près de s'arranger...

C'est pourquoi nous avons conçu rien que pour vous, petites veinardes, ce cahier hyper pratique qui vous accompagnera semaine après semaine tout au long de votre grossesse, et vous dira absolument tout, à commencer par ce qui se passe dans votre ventre... avec plein d'emplacements vierges pour y noter vos petites anecdotes et y coller vos photos. Mais ce n'est pas tout. Comme on sait mieux que personne que plus votre bébé grossira, plus votre cerveau ramollira, vous trouverez aussi toutes sortes d'outils pour ne pas vous surchauffer le neurone :

➕ un tableau pour savoir en un clin d'œil quand vous accoucherez ;

➕ un mémo hebdomadaire des démarches à faire ou des rendez-vous à prendre ;

➕ des conseils testés et approuvés par un panel de paresseuses triées sur le volet ;

➕ des fiches détaillées pour vous aider à mieux supporter les petits maux de la grossesse, à prendre les bonnes décisions...

Et puis, chaque semaine, un billet d'humeur relatant la vraie vie d'une paresseuse enceinte pour que vous vous sentiez un peu moins seule quand vous finirez en baleine échouée sur votre canapé !

Prête pour le grand raid ? Alors, roulez poulette !

MIEUX QUE LA CALCULATRICE !

Allez, avouez-le... on est entre nous... vous mourez d'envie de connaître votre date d'accouchement. Alors comme on n'a ni boule de cristal, ni marc de café, on vous a fait ce tableau pour vous aider à vous y retrouver.

Bien sûr, ce n'est pas une science complètement exacte et personne ne pourra vous promettre, juré, craché, la date pile de l'arrivée de bébé à moins qu'elle ne soit planifiée, pour des raisons médicales... Mais ça, c'est une autre histoire.

Semaine de grossesse, semaine d'aménorrhée... Késako ?

Vous l'avez pensé tellement fort qu'on l'a entendu : « Mais que veut dire SA 3 ? » C'est le raccourci paresseux de « 3e semaine d'aménorrhée », le mode de calcul officiel qui est en avance de deux semaines sur le vôtre. Donc, si vous suivez bien, SA 4 signifie 4e semaine d'aménorrhée, soit 2e semaine de grossesse, et ainsi de suite...

Voici donc le tableau magique, avec en noir la date du premier jour de vos dernières règles, et en violet la date présumée de l'accouchement.

« Quid des malheureuses qui ont eu leurs dernières règles le 31 août ? » pensez-vous ? Eh bien, disons que leur bébé devrait naître entre le 13 et le 14 juin !

Table de conversion des mois (calendrier perpétuel).

Étiquettes supérieures (mois pairés, de gauche à droite) : JAN/NOV · FÉV/DÉC · MARS/JAN · AVR/FÉV · MAI/MARS · JUIN/AVR · JUIL/MAI · AOÛ/JUIN · SEPT/JUIL · OCT/AOÛ · NOV/SEPT · DÉC/OCT

Mois	1	2	3	4	5	6	7	8	9	10	11	12	13	14	15	16	17	18	19	20	21	22	23	24	25	26	27	28	29	30	31
JAN	1	2	3	4	5	6	7	8	9	10	11	12	13	14	15	16	17	18	19	20	21	22	23	24	25	26	27	28	29	30	31
OCT	15	16	17	18	19	20	21	22	23	24	25	26	27	28	29	30	31	1	2	3	4	5	6	7	8	9	10	11	12	13	14
FÉV	1	2	3	4	5	6	7	8	9	10	11	12	13	14	15	16	17	18	19	20	21	22	23	24	25	26	27	28			
NOV	15	16	17	18	19	20	21	22	23	24	25	26	27	28	29	30	1	2	3	4	5	6	7	8	9	10	11	12			
MARS	1	2	3	4	5	6	7	8	9	10	11	12	13	14	15	16	17	18	19	20	21	22	23	24	25	26	27	28	29	30	31
DÉC	13	14	15	16	17	18	19	20	21	22	23	24	25	26	27	28	29	30	31	1	2	3	4	5	6	7	8	9	10	11	12
AVR	1	2	3	4	5	6	7	8	9	10	11	12	13	14	15	16	17	18	19	20	21	22	23	24	25	26	27	28	29	30	
JAN	14	15	16	17	18	19	20	21	22	23	24	25	26	27	28	29	30	31	1	2	3	4	5	6	7	8	9	10	11	12	
MAI	1	2	3	4	5	6	7	8	9	10	11	12	13	14	15	16	17	18	19	20	21	22	23	24	25	26	27	28	29	30	31
FÉV	12	13	14	15	16	17	18	19	20	21	22	23	24	25	26	27	28	1	2	3	4	5	6	7	8	9	10	11	12	13	14
JUIN	1	2	3	4	5	6	7	8	9	10	11	12	13	14	15	16	17	18	19	20	21	22	23	24	25	26	27	28	29	30	
MARS	12	13	14	15	16	17	18	19	20	21	22	23	24	25	26	27	28	29	30	31	1	2	3	4	5	6	7	8	9	10	
JUIL	1	2	3	4	5	6	7	8	9	10	11	12	13	14	15	16	17	18	19	20	21	22	23	24	25	26	27	28	29	30	31
AVR	10	11	12	13	14	15	16	17	18	19	20	21	22	23	24	25	26	27	28	29	30	1	2	3	4	5	6	7	8	9	10
AOÛ	1	2	3	4	5	6	7	8	9	10	11	12	13	14	15	16	17	18	19	20	21	22	23	24	25	26	27	28	29	30	31
MAI	11	12	13	14	15	16	17	18	19	20	21	22	23	24	25	26	27	28	29	30	31	1	2	3	4	5	6	7	8	9	10
SEPT	1	2	3	4	5	6	7	8	9	10	11	12	13	14	15	16	17	18	19	20	21	22	23	24	25	26	27	28	29	30	
JUIN	11	12	13	14	15	16	17	18	19	20	21	22	23	24	25	26	27	28	29	30	1	2	3	4	5	6	7	8	9	10	
OCT	1	2	3	4	5	6	7	8	9	10	11	12	13	14	15	16	17	18	19	20	21	22	23	24	25	26	27	28	29	30	31
JUIL	14	15	16	17	18	19	20	21	22	23	24	25	26	27	28	29	30	31	1	2	3	4	5	6	7	8	9	10	11	12	13
NOV	1	2	3	4	5	6	7	8	9	10	11	12	13	14	15	16	17	18	19	20	21	22	23	24	25	26	27	28	29	30	
AOÛ	14	15	16	17	18	19	20	21	22	23	24	25	26	27	28	29	30	31	1	2	3	4	5	6	7	8	9	10	11	12	
DÉC	1	2	3	4	5	6	7	8	9	10	11	12	13	14	15	16	17	18	19	20	21	22	23	24	25	26	27	28	29	30	31
SEPT	13	14	15	16	17	18	19	20	21	22	23	24	25	26	27	28	29	30	1	2	3	4	5	6	7	8	9	10	11	12	13

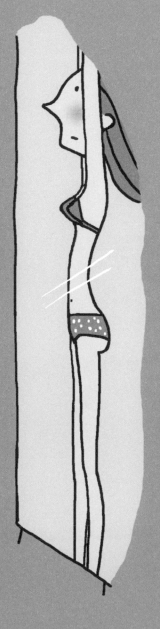

Vous l'ignorez sans doute encore, mais ça s'agite déjà à l'intérieur de vous depuis ce jour pas si lointain où un petit spermatozoïde tout essoufflé a enfoui sa minuscule tête dans votre adorable ovule. Adorable ovule qui, sous le coup de l'émotion (on va dire ça comme ça...), s'est divisé, d'abord en 2, puis en 4, puis en 8, puis en 16, etc., et a commencé sa longue progression vers l'utérus... Mais chut... c'est encore un secret.

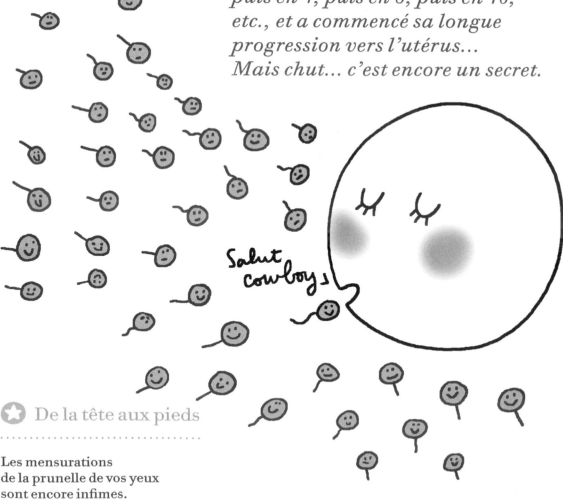

⭐ De la tête aux pieds

Les mensurations de la prunelle de vos yeux sont encore infimes.

↻ *Collez ici
une photo de vous,
le ventre plat,
avant qu'il soit
trop tard.*

oh,
la
vache...
le mal
de
coeur

Ça y est, la petite boule de cellules est arrivée à destination et s'est fixée sur les parois de votre utérus. Maintenant, elle va se scinder en deux pour former d'un côté le placenta, et de l'autre votre futur bout de chou qui, à ce stade, ressemble, ne vous en déplaise, à un disque plat.

Dès la fécondation, les dés sont jetés : ce sera une fille ou un garçon (incroyable, hein ?!). Normalement, ça devrait être un mix de vous et du papa, mais pas toujours. Il peut y avoir un gène qui surgit de nulle part (non, pas du facteur) et vient un peu semer la zizanie. De toute façon, il n'y a rien d'autre à faire que d'attendre de voir comment vos deux ADN vont se combiner. Une seule certitude, le résultat sera unique : made by Papa, in Maman.

✳ *Vous avez dit bizarre, comme c'est bizarre...*

Depuis quelques jours, vous avez mal aux seins.

Ou au cœur.

Et puis vous tenez une de ces fatigues !
Vous vous endormez avant la fin du film et la nuit, vous dormez comme un bébé (justement...).

Vous avez aussi des sensations étranges dans le ventre.

Ou bien un doute s'installe en vous : « En bonne horloge suisse, j'aurais dû avoir mes règles il y a deux heures, treize minutes et quarante-sept secondes » ou alors « Comment ça se fait que je saigne si peu ? »

Chaque début de grossesse varie d'une femme à l'autre, et parfois même d'une grossesse à l'autre. Pour résumer, vous avez un doute...

! **C'EST À VOUS !** Comme ça, sans réfléchir, imaginez-vous maman. À quoi pensez-vous ?

_____

_____

_____

_____

_____

_____

PENSE PAS BÊTE

➜ Écrasez votre dernière clope.

➜ Verrouillez votre bar et demandez à votre chéri de planquer la clé.

➜ Réduisez votre consommation de café.

➜ Arrêtez la junk food (hamburgers, chips, sodas...), les plats industriels, les fromages au lait cru, les sushis, la viande saignante, la charcuterie industrielle (pour en savoir plus, allez page 30) et investissez dans des produits frais.

➜ Arrêtez les médocs (si vous suivez un traitement, appelez votre médecin).

➜ Évitez de manipuler des produits toxiques (produits ménagers, peintures...).

➜ Arrêtez de faire de l'équitation, du saut à l'élastique, de l'aérobic, bref, tout sport dangereux et « à tassement ».

➜ Confiez la gestion de la litière du chat à votre chéri.

➜ Si vous devez faire une radio, reportez la date du rendez-vous en attendant d'y voir plus clair car il faut éviter de faire des radios enceinte.

➜ Allez acheter un test de grossesse.

SEMAINE

3

SA 5

Revenons à notre petit disque plat officiellement devenu embryon depuis la semaine dernière.
De plat, il est devenu légèrement courbé avec une ébauche de tête.
Et, ô miracle, vers le 22e jour, un semblant de cœur commence à battre.

je reviens dans deux secondes...

LAVABO

⭐ De la tête aux pieds

Taille : 1,5 à 2 mm
Poids : infime !

UNE PARESSEUSE AVERTIE EN VAUT DEUX :

• Partagez votre découverte avec le papa, sauf si vous voulez lui faire la surprise quand ce sera confirmé.

• Si vous avez des douleurs violentes dans le bas du ventre, des saignements brunâtres, appelez votre médecin : cela peut être un signe de grossesse extra-utérine.

Bingo !

Ça fait déjà longtemps que vous êtes enfermée dans les toilettes… Et vous regardez fixement la petite ligne bleue (*ou les deux petites lignes roses, ou le mot « Enceinte » qui s'est inscrit sur l'écran digital selon les modèles*) qui est apparue au centre du bâtonnet en plastique que vous tenez entre vos doigts tremblants d'émotion.

En fait, ce n'est pas vraiment une surprise. Vous avez eu des sensations bizarres ces derniers temps : dans le ventre, dans les seins… Vous êtes fatiguée sans raison (enfin presque !). L'odeur du café vous soulève le cœur. Et surtout, ça fait un bail que vous n'avez pas eu vos règles. D'où l'achat dudit bâtonnet. Et là, tadam, vous avez l'explication devant les yeux : dans un peu moins de neuf mois, vous devriez avoir un bébé tout-petit-tout-mimi greffé dans les bras.

PENSE PAS BÊTE

➡ Prenez rendez-vous chez votre gynécologue pour qu'il vous confirme officiellement la bonne nouvelle et fasse les vérifications d'usage (ce sera votre première visite prénatale).

➡ Reportez-vous au tableau page 7 pour avoir une idée de la date de votre accouchement.

❗ C'EST À VOUS !
Avec qui avez-vous partagé la bonne nouvelle ?

_____

_____

_____

_____

_____

_____

_____

_____

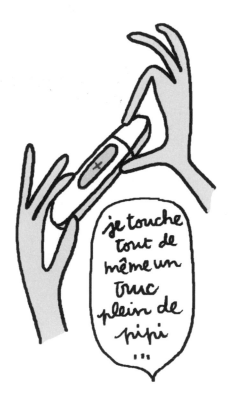

je touche tout de même un truc plein de pipi…

COMMENT BIEN CHOISIR VOTRE MATERNITÉ ?

Vous venez à peine d'apprendre que vous êtes enceinte et vous n'êtes pas encore redescendue de votre petit nuage qu'on vous demande déjà de penser à l'aspect qui vous effraie le plus : l'accouchement ou, pour être plus exacte, le choix de votre future maternité. Pourquoi si tôt ? Parce que dans certaines villes, comme Paris, les maternités sont surbookées. Quand une maternité est top, ça se sait, et ça se bouscule au portillon.

Premier conseil : demandez à vos copines ou collègues qui ont accouché récemment où elles l'ont fait et comment ça s'est passé, histoire de noter les adresses où se ruer et celles à éviter.

Si personne autour de vous n'a vécu cette grande aventure, demandez conseil à votre médecin, votre gynéco...

Deuxième conseil : préparez une liste de questions à poser aux établissements que vous contacterez, notamment :

➡ Proposent-ils des cours de préparation à l'accouchement/à l'allaitement (fortement recommandé si vous voulez tenter l'expérience) ? Et si oui, de quel genre et à quelle fréquence ?

➡ Quelle est leur politique en matière de péridurale, de césarienne, d'allaitement ? Pour être sûre qu'on aille dans votre sens le jour J...

➡ Quelles sont les méthodes d'accouchement proposées ?

➡ Le papa pourra-t-il assister à l'accouchement ou, au contraire, se planquer derrière le distributeur de boissons sans qu'on lui fasse de réflexions désagréables ?

➡ Y a-t-il une nurserie où mettre le bébé si vous avez besoin de vous reposer ? En d'autres termes, vous laisseront-ils faire votre grosse flemmarde la première nuit ? Après 24 heures de travail, ce n'est pas du luxe !

➡ En cas de pépin, ont-ils un plateau technique pour votre bébé ? Pour vous ? C'est-à-dire un bloc opératoire, un anesthésiste, un chirurgien, des couveuses ? Et, si ce n'est pas le cas, comment se passe le transfert vers un site mieux équipé ?

➡ Ont-ils des chambres individuelles et comment en obtenir une si vous le souhaitez ?

➡ Les chambres sont-elles équipées d'un vrai cabinet de toilette et pas d'un placard avec un lavabo ?

➡ Quels sont les horaires et la durée des visites ?

➡ Combien de temps vous gardent-ils après l'accouchement ?

➡ Bénéficiez-vous d'une aide et de conseils après l'accouchement ?

➡ L'équipe est-elle complète (*sage femme/aide-soignante/gynéco-obstétricien/anesthésiste/pédiatre*), disponible... et aimable ?

➡ Préférez-vous le « tout gratuit » (*hôpital*) ou êtes-vous prête à mettre un peu la main à la poche (*clinique*) ?

➡ Et, *last but not least*, à quelle distance se trouve-t-elle de chez vous ?

Renseignez-vous, les maternités organisent régulièrement des visites groupées pour les futures mamans.

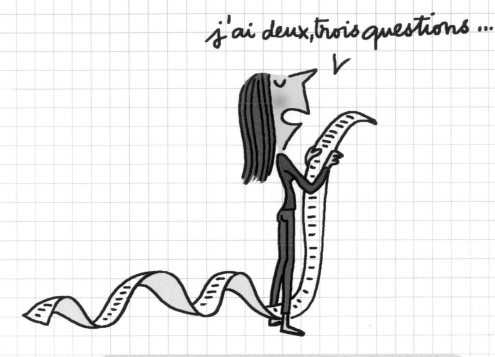

j'ai deux, trois questions ...

LA PREMIÈRE VISITE PRÉNATALE

Sitôt le doute installé, vous aurez certainement envie de voir votre médecin pour confirmer la grande nouvelle. À l'inverse, si vous avez besoin de temps pour digérer tout ça, sachez que vous avez jusqu'à la fin du 3e mois (c'est-à-dire jusqu'à la 12e semaine) pour le faire.

Néanmoins, ne tardez pas trop : cette première visite est très importante car en plus de vous donner les papiers nécessaires pour notifier officiellement votre grossesse à la Sécurité sociale et à la CAF (et donc être prise en charge), le médecin va vous ausculter de la tête aux pieds et vous prescrire une prise de sang et une analyse d'urine pour connaître :
• votre taux d'albumine (pour voir si vous faites de la tension) ;
• votre taux de glycémie (pour vérifier que vous ne faites pas de diabète) ;
• votre groupe sanguin complet (pour voir si vous êtes « compatible » avec le papa) ;
• votre taux de bêta HCG pour dater la grossesse.

Mais aussi dépister :
• des anticorps qui n'ont rien à faire là ;
• la rubéole ;
• la toxoplasmose ;
• et, avec votre accord, le sida, la syphilis, et l'hépatite B.

SEMAINE

4

SA 6

Voilà qu'en plus d'une grosse tête, votre bébé a maintenant une petite queue et des bourgeons de membres. En interne, c'est aussi le grand chambardement avec l'ébauche de nombreux organes, la mise en place de la circulation sanguine, le début de formation de l'oreille interne, des yeux, de la langue... Le dos n'est pas en reste puisqu'une couche de cellules est en train de se plier pour former un tube qui donnera la moelle épinière. Eh oui, tout ça en si peu de temps !

tu passes l'aspi, moi, j'ai pas le droit !

yes !

⭐ De la tête aux pieds

Taille : 2 à 5 mm
Poids : ridicule, même si depuis la semaine dernière, il a multiplié par 10 000 !

UNE PARESSEUSE AVERTIE EN VAUT DEUX :

• Annulez votre trek en Éthiopie prévu pour dans 7 mois.

• Arrêtez de passer l'aspiro, ça donne des contractions (enfin, c'est ce qu'il faudra dire à votre chéri quand vous lui annoncerez que vous allez faire la grève du ménage pendant au moins neuf mois).

• Commencez à vous renseigner sur les maternités. Eh oui, déjà ! (voir page 16.)

✳ *SG, SA, késako ?*

Vous savez plus ou moins précisément quand l'un des spermatozoïdes de monsieur est venu butiner votre ovule. Donc, pour vous, vous en êtes à la quatrième semaine. Oui mais voilà. Dans le monde médical, personne ne compte comme ça. Ils ont leur système bien à eux qu'ils ont, pour compliquer encore un peu plus l'affaire, doté d'un nom gratiné : aménorrhée. De quoi faire paniquer la plus zen des primipares...

En fait, tout ce qu'il faut retenir, c'est que les hommes et les femmes en blanc sont deux semaines en avance sur vous. Et c'est tout. Donc, quand vous vous dites : « c'est la quatrième semaine », pour eux, c'est la sixième.

PENSE PAS BÊTE

➡ Première visite prénatale.

➡ Faites la prise de sang et l'analyse d'urine prescrites par votre médecin.

➕ *Notez ici toutes les questions que vous voulez poser à votre médecin :*

❗ C'EST À VOUS ! Quand bébé a été conçu...

_____

_____

_____

_____

_____

_____

_____

_____

SEMAINE 5

SA 7

c'est quoi < ces seins ?

Ça y est, votre bébé entame son deuxième mois. Comme le temps passe vite ! Ces jours-ci, c'est en haut que ça turbine, et plus précisément au niveau de la tête qui va énormément grossir pour laisser la place au cerveau qui se développe à tout va. Tandis que des semblants de nez, de bouche, de mâchoires apparaissent, les yeux et les oreilles commencent à être bien visibles. Côté organes, on note la présence de l'estomac, du foie et du pancréas, ainsi que la formation d'une cavité respiratoire. Et maintenant, son petit cœur bat tellement fort qu'on peut l'entendre à l'échographie !

⭐ De la tête aux pieds

Taille : 5 à 7 mm
Poids : anecdotique

UNE PARESSEUSE AVERTIE EN VAUT DEUX :

• Allez voir votre dentiste pour être sûre que vous n'aurez pas besoin de grands travaux dans les mois qui viennent.

Le grand chambardement

Ça y est, la grosse machine médicale est en route avec, pour commencer, vos premières analyses de sang et d'urine.

Vous n'aimez pas les piqûres ? Dommage pour vous car vous allez en avoir... au moins sept fois pendant la grossesse, et le jour J, on ne vous dit pas ! Mais, croyez-nous, on finit par s'y faire, genre « Vous voulez me piquer ? Mais faites, faites... ». Et puis c'est pour la bonne cause !

C'est aussi peut-être le moment de mettre le papa dans la confidence, si vous ne lui avez pas déjà tendu le test en sortant des toilettes ou s'il n'a pas déjà compris que quelque chose se trame dans son dos en vous voyant pousser de gros soupirs devant les pubs de couches. Pour cela, à chacune sa méthode : un mail ou un texto (même si dans le genre « émotion » on fait mieux), un coup de fil hystérique en pleine réunion, des petits chaussons dans son assiette, une peluche tendrement glissée sous son oreiller, un hochet caché dans sa mallette d'ordinateur...

À vous de trouver la bonne méthode et le bon moment, de préférence quand il est calme et détendu pour éviter des réactions traumatisantes du genre : « Quoi ? C'est une blague ? », « Comment, j'ai mal compris ? » ou « Et alors ? ».

PENSE PAS BÊTE

➜ Prenez rendez-vous chez votre gynéco ou, si vous n'en avez pas, demandez à votre médecin ou vos amies de vous en conseiller un.

➜ Pensez déjà à l'après-grossesse : mode de garde, reprise du boulot ou congé parental... Même s'il est un peu tôt pour entreprendre les démarches, cela vous permettra au moins d'en connaître un rayon au moment de faire un choix définitif.

 C'EST À VOUS ! Comment avez-vous annoncé la nouvelle à votre chéri ?

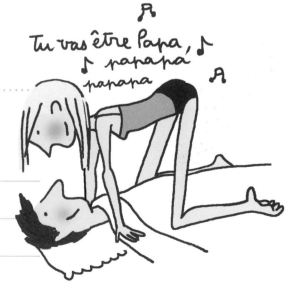

Tout va très vite : côté visage (parce que c'est ça qui vous intéresse le plus, non ?), votre bébé arbore de splendides mâchoires qui encadrent la langue et qui contiennent déjà les germes des futures dents... Le nerf optique commence à se tresser. Une très fine peau apparaît sur son corps. Il a les yeux ouverts et très espacés, un peu comme un caméléon (sauf qu'il ne les fait pas rouler dans tous les sens). C'est aussi cette semaine que sa colonne vertébrale et ses reins vont commencer à se former et ses bras et ses jambes à s'allonger et à s'articuler.

file moi ta place ou je te vomis dessus

UNE PARESSEUSE AVERTIE EN VAUT DEUX :

• Essayez de faire la sieste, quitte à vous enfermer dans les toilettes au bureau.

• N'hésitez pas à demander une place assise dans le métro ou à passer devant tout le monde à la caisse du supermarché même si vous avez encore le ventre plat (les femmes, au moins, comprendront...).

• En cas de pertes de sang ou de douleurs dans le bas du ventre, foncez voir votre médecin.

⭐ De la tête aux pieds

Taille : 10 à 14 mm
Poids : 1,5 g

✳ *La grossesse ?*
Que du bonheur…

Vous avez beau avoir arrêté de mener une vie de patachonne, tous les matins, vous avez le cœur au bord des lèvres comme si vous aviez passé la nuit à siffler des margaritas. Le seul fait d'ouvrir un œil vous cloue au lit, trempée de sueur. La seule pensée d'un bol de café vous met la bile à la bouche. Vous rampez comme une malheureuse jusqu'à la salle de bains où vous finissez la tête dans les toilettes, puis dans le lavabo, puis de nouveau dans les toilettes. La tête vous tourne. Vos jambes se dérobent sous vous.

Ou alors… Vous ne pouvez plus dormir sur le ventre tellement vos seins vous font mal. Enfiler un soutien-gorge est devenu un vrai supplice. Ils sont tellement tendus et douloureux que vous osez à peine bouger de peur de vous (de les) heurter quelque part.

Ou alors… Vous salivez comme le loup de Tex Avery/vous avez l'estomac qui brûle ou qui gargouille ou au contraire, un transit inexistant/vous avez des crampes, des fourmillements surtout la nuit, vous avez un goût métallique dans la bouche… Sans parler de la fatigue qui vous cloue sur votre canapé comme si tout d'un coup, on vous avait « débranchée ».

Bienvenue dans le monde merveilleux de la grossesse ! Heureusement, en attendant que ça passe (à la fin du 3ᵉ mois), il existe des moyens de soulager tout ça (voir page 50).

❗ **C'EST À VOUS !**

Quels sont vos petits trucs à vous pour atténuer les petits maux de la grossesse ?

AAAAAAAH

je ferais bien une sieste de 5 – 6 heures …

SEMAINE

7

SA 9

qu'est ce que je vais faire d'un bébé ?

⭐ De la tête aux pieds

Taille : 17 à 22 mm
Poids : 1,5 à 2 g

Ça y est, il commence à ressembler à quelque chose : à une sorte de gros baigneur avec une énorme tête. Votre embryon (malgré tout, on parle encore d'embryon, frustrant, non ?) a maintenant des mâchoires, un nez, des yeux plus rapprochés (avec un nerf optique opérationnel) et des paupières presque entièrement formées. Au bout de ses jambes et de ses bras, apparaissent ses doigts. Il arrive même à plier les coudes ! Certes, ce n'est pas encore très gracieux, mais il bouge – même si pour le moment vous ne sentez absolument rien. Là encore, patience… D'ici quelques jours, vous le verrez à l'échographie et dans quelques semaines, vous le sentirez très bien.
Et pour parachever cette « semaine de normalisation », ses intestins qui flottaient dans le liquide amniotique commencent à rentrer dans son ventre qui est maintenant suffisamment grand pour les contenir. Quand on vous disait qu'il devenait beau !

✳ « *Mais qu'est-ce qu'on a fait ?* »

Au lieu de vous faire sourire niaisement, l'idée de ce petit bébé blotti en vous vous panique. Des tonnes de questions se pressent dans votre tête, toutes articulées autour d'un terrible constat : « Mais qu'est-ce qui nous a pris ? » Petit à petit, vous prenez conscience que dans quelques mois, votre vie va changer du tout au tout, basculer dans l'inconnu sans qu'aucun retour en arrière ne soit possible (désolée, la clause « Satisfait ou remboursé » n'existe pas pour les bébés...).

Serait-ce un coup pendable de vos hormones ? Sans doute car, sans entrer dans des détails techniques, disons que c'est le tsunami là-dedans. D'où des absences (« Comment ça, je ne peux pas faire le trek en Éthiopie ? », « Comment ça, je ne peux pas prendre un double Martini ? » ou « Comment ça, je vais être maman dans quelques mois ? ») et des coups de mou, des sautes d'humeur spectaculaires...

Pas d'inquiétude, tout ça est normal. Et cela concerne aussi le futur papa, même si lui ne peut pas mettre ça sur le compte des hormones ! Ça va passer (au 2ᵉ trimestre) et revenir (au 3ᵉ trimestre). Youpi !

PENSE PAS BÊTE

➲ Envoyez votre déclaration de grossesse à la Sécu et à la CAF (la Caisse d'allocations familiales).

❗ C'EST À VOUS !

Notez ici vos petites angoisses et grandes questions à propos de l'avenir...

UNE PARESSEUSE AVERTIE EN VAUT DEUX :

• Communiquez vos dates de rendez-vous importants à votre chéri pour que, s'il a un emploi du temps de Super Président, il puisse s'arranger pour être là aux moments clés (c'est-à-dire au moins aux échographies).

• Offrez-lui un guide de futur papa (un drôle, pas un qui donne envie de se suicider !).

« *Boum, boum. Mon petit cœur fait boum, boum.* » *C'est ce que pourrait chanter votre bébé (s'il savait chanter) car cette semaine, il a un vrai cœur qui bat et que vous allez pouvoir bientôt entendre (prévoyez des mouchoirs !). Avec le cœur, c'est tout le système cardiaque et vasculaire qui se met en marche ainsi qu'une grande partie des organes. Sa tête commence à se redresser, même si elle paraît toujours énorme par rapport au reste de son corps. Les paupières ne sont pas encore complètement formées et, dans sa bouche, ça bourgeonne : les futures dents se positionnent dans les mâchoires. Sinon, les articulations de ses bras et de ses jambes sont terminées ainsi que ses mains et ses pieds.*

t'as pas hyper envie de me badigeonner d'huile ?

⭐ De la tête aux pieds

Taille : 3 cm
Poids : 2 à 3 g

UNE PARESSEUSE AVERTIE EN VAUT DEUX :

• Mangez bien, c'est-à-dire équilibré, varié et sain (voir pages 30-35), mais pas plus que d'habitude.

• Commencez à vous tartiner chaque jour d'huile d'amande douce car votre peau va bientôt commencer à s'étirer.

✳ *C'est maintenant ou jamais... : câlin ou pas câlin ?*

Vous avez atterri ? Vous commencez à prendre conscience de ce qui se trame à l'intérieur de vous et de tout ce que ça implique pour l'avenir, genre « quand deux amoureux fous deviennent un papa et une maman » ? Eh bien, en attendant de voir ce que ça fait, profitez à fond de vos dernières semaines de « jeunes fous et insouciants ».

Tous les hommes ne fantasment pas sur le corps d'une femme enceinte... Ça peut même en bloquer certains : « Et si le bébé me sentait ? Et si je lui faisais mal ? Et si je déclenchais des contractions ? Et si je crevais la poche des eaux de mon dard ardent ? » Alors, profitez-en, nom d'une pipe... enfin, si on ose dire.

Bon, d'accord, si vous passez vos journées la tête dans la cuvette des toilettes, on vous exempte de galipettes... en attendant le mois prochain !

PENSE PAS BÊTE

➥ Prenez rendez-vous pour la première échographie (si votre gynéco n'est pas équipé pour ça).

❗ C'EST À VOUS !

Des envies bizarres de femme enceinte commencent à poindre ?

Au lit ! tu m'as excité avec ton massage !

QUE MANGER PENDANT LA GROSSESSE ?

« Mange, tu es toute maigre. Dans ton état, il faut manger pour deux ! » C'est ce que serinaient nos grands-mères à nos mères, avec quelques dommages collatéraux au passage. Depuis, le discours a changé. On sait désormais que l'important, ce n'est pas la quantité, mais la qualité, ce qui pourrait se résumer par : quand on est enceinte, il ne faut pas manger pour deux, mais manger deux fois mieux.

Déjà, récapitulons tout ce qu'il ne faut pas consommer :

• la viande crue ;
• le poisson cru (donc, bye bye sushis et saumon fumé) ;
• la charcuterie industrielle ;
• les légumes et les fruits non lavés (surtout si vous n'êtes pas immunisée contre la toxoplasmose) ;
• le foie ;
• les fruits de mer ;
• l'alcool ;
• les cacahuètes si vous êtes issue d'une famille d'allergiques.

Et ce qu'il faut limiter :

• le café ;
• le thé ;
• les plats trop gras, trop épicés ou trop assaisonnés ;
• la margarine (réservée aux gens qui ont du cholestérol, pas aux femmes enceintes) ;
• les produits allégés et/ou contenant des édulcorants ;
• et tout ce que vous cachez sous votre lit, coquine : biscuits, bonbons, viennoiserie industrielle...

Dans les mois qui viennent, ayez deux objectifs en tête :

➡ apporter à votre bébé ce dont il a besoin pour bien se développer (sinon, il puisera dans vos réserves) ;

➡ donner à votre organisme l'énergie, les vitamines, les oligoéléments nécessaires pour tenir le choc.

En d'autre termes, ça veut dire pas de régime (sauf si votre médecin vous le prescrit), 4 à 5 repas variés, équilibrés et légers par jour et à heures fixes, et pas de grignotage (ou si peu...).

Voyons maintenant quels aliments privilégier pendant ces neuf mois.
Plutôt que de vous noyer dans de longs discours, on vous a concocté un tableau aux petits oignons avec les aliments à privilégier pour éviter les carences les plus courantes. Les champions toutes catégories sont les aliments en violet.

	Quoi ?	Comment ?	Fer	Zinc	Calcium	Magnésium	Bons glucides	Vit A	Vit B9	Vit C	Vit D	Petit plus
LÉGUMES • CÉRÉALES	Petits pois	Frais ou surgelés		X								*Ils sont gorgés de fibres.*
	Pois mange-tout	Frais	X						X			*Ils sont délicieux sautés dans un wok.*
	Épinards	Sautés à la poêle/crus						X	X			*Ils préviennent l'anémie de fer.*
	Brocolis	Cuits à la vapeur							X	X		*Ils sont gorgés de fibres.*
	Tomates	Confites dans de l'huile								X		*Elles sont bonnes en toutes saisons !*
	Champignons de Paris	Crus (et bien lavés)									X	*Ils sont très peu caloriques.*
	Haricots blancs	En ragoût, en salade	X									*Ils sont gorgés de fibres.*
	Poivrons jaunes	Grillés sans la peau							X			*Ils sont gorgés de fibres.*
	Haricots beurres	Sautés à la poêle										*Ils ont un goût savoureux.*
	Lentilles	En ragoût, en salade	X	X				X				*Elles contiennent beaucoup plus de fer que les épinards.*
	Pois chiches	En ragoût, en salade	X	X		X		X				*Ils sont gorgés de fibres.*
	Autres légumes secs	En ragoût, en salade	X	X		X		X				*Ils sont bourrés de protéines végétales.*
	Céréales	Complètes	X	X	X							*Elles sont excellentes pour le cœur et l'appareil intestinal.*
	Pommes de terre	Cuites à la vapeur ou au four										*Elles se mangent sous toutes les formes.*
	Riz	Chaud, froid...										*Il est pratique et facile à cuisiner.*
	Pâtes	Avec un filet d'huile d'olive										*Cuisinées ainsi, elles ne font pas grossir.*
FRUITS • OLÉAGINEUX • GRAINES	Citron	En assaisonnement								X		*Il favorise l'absorption du fer.*
	Oranges	En jus							X	X		*Elles favorisent l'absorption du fer.*
	Fraises	De saison et en dessert							X	X		*Elles favorisent l'absorption du fer.*
	Pamplemousse	En entrée								X		*Il favorise l'absorption du fer.*
	Abricots secs	En en-cas	X					X				*Elles remplacent avantageusement les Granola®.*
	Gingembre confit	En en-cas	X									*C'est excellent contre les nausées.*
	Noix, amandes	Grillées à sec		X	X	X						*Elles facilitent le transit.*
	Graines de lin	Dans des salades		X	X							*Elles sont riches en oméga-3.*
	Graines de sésame	Sur des pâtes	X	X	X							*Ce sont des puissants antioxydants.*
	Graines de pavot	Sur des pâtes	X	X	X							*Elles ont des effets relaxants.*
	Graines de cumin	Avec du fromage		X		X						*Elles soulagent les flatulences.*
	Jus de fruits	Hors des repas								X		*Ils remplacent avantageusement les sodas.*

PRODUITS LAITIERS
(un au choix à chaque repas)

Quoi ?	Comment ?	Fer	Zinc	Calcium	Magnésium	Bons glucides	Vit A	Vit B9	Vit C	Vit D	Petit plus
Yaourts	Au lait entier et nature			X					X	X	Ils boostent le système immunitaire.
Fromage blanc	Nature et à 20 %			X						X	Il cale sans faire grossir
Beurre	En petites doses						X			X	Il a des propriétés antioxydantes.
Lait	Écrémé			X					X	X	Il remplace avantageusement la crème fraîche dans les soupes.
Parmesan	En morceau ou râpé			X			X			X	C'est le fromage à pâte dure le moins gras.
Emmental	En morceau ou râpé			X			X			X	Il aide à faire passer certains légumes.
Gruyère	En morceau ou râpé						X				Il a un goût plus puissant que l'emmental.
Comté	En morceau ou râpé			X					X	X	C'est une excellente source de protéines.
Cantal	En morceau ou râpé			X							C'est une excellente source de protéines.
Édam/Gouda	En morceau ou râpé			X			X				C'est une excellente source de protéines.

PROTÉINES ANIMALES
(à équilibrer avec des protéines végétales)

Quoi ?	Comment ?	Fer	Zinc	Calcium	Magnésium	Bons glucides	Vit A	Vit B9	Vit C	Vit D	Petit plus
Saumon	Rose	X								X	Il a des vertus antistress.
Truite	À la vapeur									X	Elle est bonne pour le cœur et le système cardio-vasculaire.
Flétan	Noir									X	Il est riche en oméga-3.
Sardines	En conserve	X								X	Elles sont très pratiques à utiliser.
Harengs	Marinés						X			X	Ils sont riches en oméga-3.
Thon	En conserve	X									Il est très pratique à utiliser.
Maquereau	En conserve										Il est très pratique à utiliser.
Bœuf	Ragoût ou faux-filet		X								Il renforce les vaisseaux sanguins.
Veau	Palette		X								Il n'est pas très gras.
Agneau	Épaule/brochettes		X								Il aide à lutter contre l'ostéoporose.
Canard	Rôti avec la peau	X								X	Sa chair est très goûteuse.
Jaune d'œuf	Bio						X				Il se mange sous toutes les formes.

Quoi ?	Comment ?	Fer	Zinc	Calcium	Magnésium	Bons glucides	Vit A	Vit B9	Vit C	Vit D	Petit plus
ÉPICES • AROMATES											
Cannelle	En poudre	X		X							Elle booste le système immunitaire.
Paprika	En poudre	X									Il améliore la circulation sanguine.
Safran	En filaments			X					X		Il apaise certaines douleurs.
Coriandre	En graines	X									Il améliore la circulation sanguine.
Laurier	En feuilles	X	X					X			C'est une arme naturelle contre la dépression et le stress.
Estragon	Frais ou lyophilisé							X			Il favorise la digestion.
Menthe	Frais ou lyophilisé		X	X							Elle stimule la circulation sanguine.
Thym	Frais ou lyophilisé		X	X				X	X		Il a des vertus anti-inflammatoires.
Persil	Frais ou lyophilisé		X	X		X	X	X	X		Il stimule l'organisme.
Basilic	Frais ou lyophilisé		X	X			X	X	X		Il a des vertus anti-rhumes.
Romarin	Frais ou lyophilisé			X							Il améliore la circulation sanguine.
Ciboulette	Frais ou lyophilisé		X				X	X	X		Elle favorise la digestion.
DIVERS											
Chocolat	En poudre non sucré ou à dessert	X	X		X						C'est moins dangereux que le Nutella®.
Sucre	Avec modération				X						C'est « moins pire » que les édulcorants.
Miel	Avec modération				X						C'est une excellente alternative au sucre.
Confiture	Avec modération				X						C'est une alternative au miel pour celles qui n'aiment pas ça.
Céréales All bran®	Au petit déj ou en en-cas	X	X								Elles boostent le transit intestinal.
Farine de pois chiche	En crêpes ou en galettes						X				Elle est pauvre en matières grasses.
Farine de sarrasin	En muffins ou en galettes			X							Elle est facile à digérer et énergétique.

Euh... bien sûr, ça ne veut pas dire qu'il faut ne manger que ça (on pense au chocolat...) ou sucer des feuilles de laurier à longueur de journée ! Rappelez-vous : équilibré, varié, léger...

Mes petites recettes

L'énergétique mais pas calorique

🍃 *Si, si, c'est possible. La preuve avec cette salade de légumes secs aux épices.*

Pour 1 personne
- 50 g de pois chiches (en boîte)
- 50 g de pois cassés
- 50 g de lentilles corail (orange)
- 1 c. à c. de cumin en poudre
- 1 c. à c. de graines de coriandre
- 1 c. à c. de graines de pavot
- 1 bon cm de gingembre râpé
- 1 gousse d'ail écrasée
- 1 demi-oignon rouge haché fin
- 1 citron (le jus)
- 1 c. à s. de menthe ciselée
- 30 ml d'huile • Sel

Rincez les pois cassés et les lentilles et faites-les cuire dans de l'eau bouillante salée, dans deux casseroles différentes s'ils n'ont pas le même temps de cuisson.

Ouvrez la boîte de pois chiches et rincez-les à l'eau froide.

Faites chauffer un peu d'huile dans une poêle et ajoutez-y le cumin et les graines de coriandre et de pavot. Remuez. Quand elles commencent à sauter, ajoutez l'ail et le gingembre et faites revenir jusqu'à ce que les parfums se libèrent.

Mélangez les pois cassés, les lentilles et les pois chiches dans un saladier. Ajoutez la mixture de graines et l'oignon haché. Assaisonnez avec l'huile, le jus de citron, la menthe et le sel. Remuez et régalez-vous.

L'anti-fringale

🍃 *Un petit coup de barre en milieu de matinée ou à l'heure du goûter ? Au lieu de grignoter n'importe quoi, préparez-vous ce délicieux en-cas 100 % énergie et bonnes calories.*

Pour 1 part
- 1 banane
- 1 poignée de noix, de noisettes ou de noix de cajou grillées à sec
- 1 yaourt nature (ou du fromage blanc à 20 %)
- Le jus d'un demi-citron

Coupez la banane en morceaux. Mixez les noix. Puis ajoutez les morceaux de banane, le yaourt et le jus de citron.

Fermez les yeux et dégustez !

La survitaminée

🍃 *Comment faire le plein de vitamines et de minéraux en une seule fois ? Facile avec une soupe aux légumes verts !*

Pour 1 soupe (pensez à congeler le rab)
- 4 courgettes
- 1 poireau avec le vert
- 2 ou 3 grosses poignées d'épinards frais
- 2 ou 3 grosses poignées de haricots verts, frais ou surgelés
- 1 cube de bouillon de volaille
- 1 c. à s. de crème fraîche légère (facultatif)
- Une noisette de beurre
- Sel • Poivre

Pelez, lavez et coupez les légumes en petits morceaux.

Faites revenir le poireau et les courgettes dans du beurre. Ajoutez les épinards. Mélangez bien et faites revenir encore 2 minutes. Recouvrez d'eau, ajoutez le cube de bouillon de volaille, couvrez et faites cuire 30 minutes à feu doux.

Mixez le tout et assaisonnez à votre goût. Ajoutez une cuillerée à soupe de crème fraîche (ou un peu de lait) si vous le souhaitez, mélangez et dégustez.

L'ANTI-JAMBES LOURDES

🥄 *À défaut de pouvoir boire des litres de thé vert (c'est fortement déconseillé pendant la grossesse car trop de thé peut créer une anémie en fer), buvez des litres de smoothie aux fruits rouges et à la menthe, des aliments qui ont un réel impact sur la circulation sanguine.*

Pour 1 smoothie
• 1 yaourt nature
• 300 g de fruits rouges congelés et non sucrés
• 2 c. à s. de sucre ou 1 c. à s. de miel liquide
• 2 à 3 feuilles de menthe fraîche

Versez les fruits rouges, le yaourt, le sucre ou le miel et les feuilles de menthe dans un blender. Mixez à grande vitesse jusqu'à obtention d'un mélange lisse et onctueux. Goûtez, rectifiez le goût et buvez sans attendre.

LA SPÉCIALE « TRANSIT INTESTINAL »

🥄 *Le maître mot pour débloquer la situation ? Des fibres. Ça tombe bien, cette salade aux agrumes en contient plein.*

Pour 2 personnes
• 1 petite botte de cresson
• 1 petite laitue
• 1 pamplemousse
• 1 orange
• 1 c. à s. d'huile d'olive
• 1 c. à s. de jus de citron
• 4 cerneaux de noix grossièrement hachés
• Sel

Triez, coupez, lavez et essorez le cresson et la laitue. Mettez dans un saladier.

Pelez le pamplemousse et l'orange à vif et prélevez les quartiers sans la peau. Mélangez-les à la salade.

Assaisonnez avec l'huile, le jus de citron et le sel, ajoutez les noix et mélangez délicatement.

Savourez.

LA GOURMANDE...

🥄 *Se régaler sans voir ses hanches s'arrondir... un doux rêve ? Pas vraiment grâce à cette mousse au chocolat light. Et quand on sait que le chocolat est bon pour le moral, il n'y a pas de raison de s'en priver.*

Pour 4 parts
• 1 demi-tablette de chocolat noir à dessert
• 3 œufs • 1 pincée de sel

Cassez le chocolat en carrés, ajoutez 2 cuillerées à soupe d'eau et faites fondre 2 minutes au four à micro-ondes à puissance maximale.

Pendant ce temps, cassez les œufs et séparez les blancs des jaunes.

Mélangez le chocolat fondu sans chercher forcément à enlever tous les grumeaux (ça fera des pépites). Ajoutez les jaunes et mélangez bien. Réservez.

Montez les blancs en neige avec une pincée de sel. Incorporez-en délicatement la moitié au chocolat en soulevant la préparation de haut en bas. Ajoutez progressivement le reste en prenant toujours soin de soulever la préparation au lieu de la mélanger pour ne pas faire tomber les blancs.

Laissez prendre 3 heures au réfrigérateur.

3e MOIS

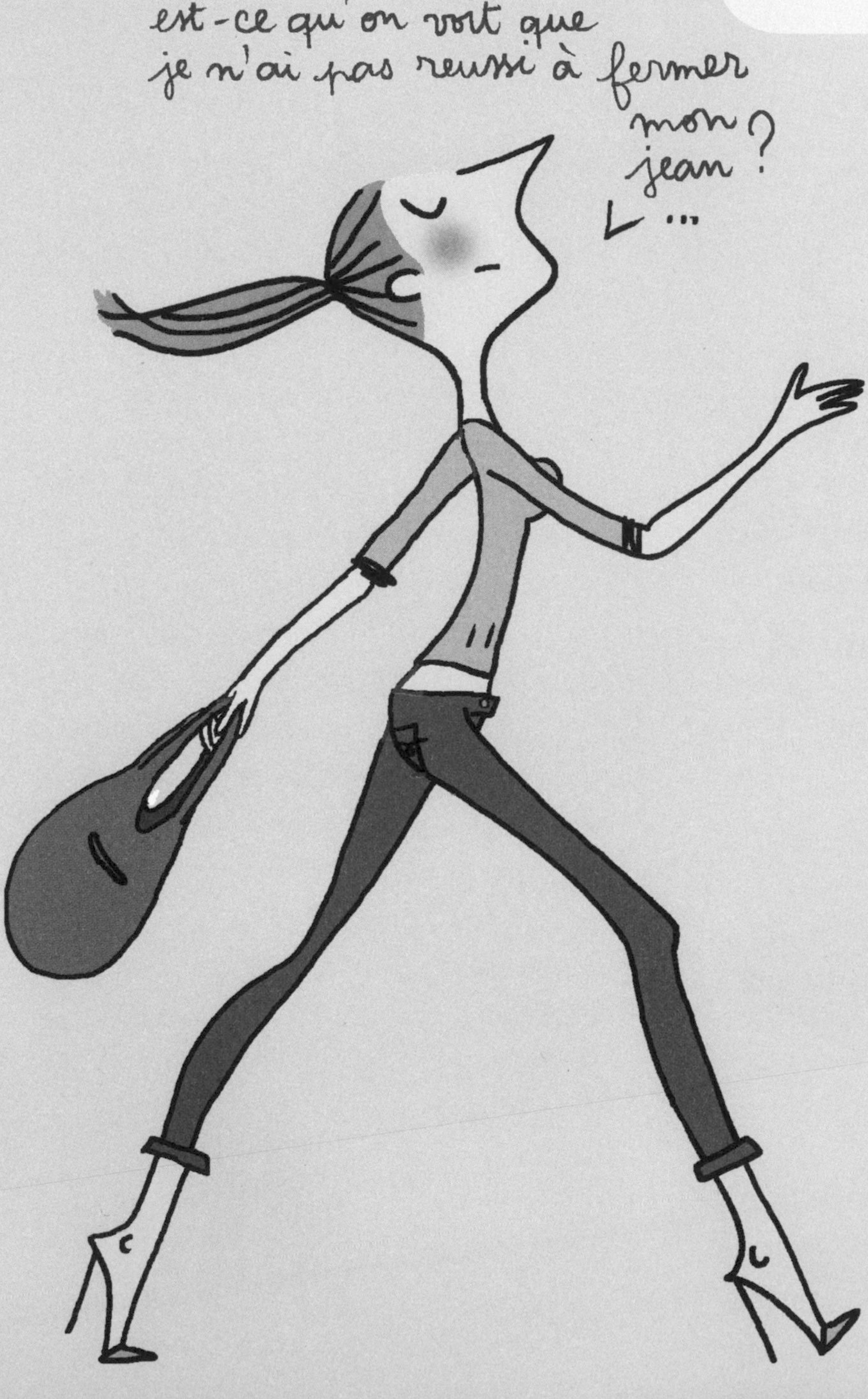

Début du 3ᵉ mois... Comme ça file ! Ça fait déjà plus de neuf semaines que vous êtes redescendue du septième ciel fécondée... Voyons maintenant comment se porte cette petite chose dans votre giron. Déjà, « petite chose », plus vraiment, car votre bébé fait environ la taille d'un pouce et pèse près de 10 g, c'est-à-dire qu'en une semaine, il a quasiment multiplié son poids par 3, 5 ! Pour vous donner une image, c'est un peu comme si vous étiez passée de 55 à 190 kg en sept jours. Pour la taille, c'est pareil, en quelques jours, il l'a presque doublée en passant d'environ 3 cm à près de 6 cm. Côté visage, il ressemble un peu moins à E.T. : sa tête commence à s'arrondir, ses lèvres se dessinent, ainsi que ses narines, même si elles sont encore bouchées, ses yeux sont recouverts par les paupières. Et si c'est un garçon, ses testicules commencent déjà à fabriquer de la testostérone.

hum
...
ma
culotte
pèse
lourd
...

⭐ De la tête aux pieds

Taille : 5,5 cm
Poids : 10 g

D'embryon à fœtus

C'est cette semaine que votre bébé prend officiellement le titre de fœtus et c'est aussi cette semaine que vous devez voir votre gynéco pour la première fois si vous ne l'avez pas encore fait. Bon, le gynéco, vous connaissez. Rien d'enthousiasmant à vous annoncer si ce n'est qu'il va vous palper et vous regarder encore plus que d'habitude, histoire de vérifier que tout va bien, que le col est bien fermé. Tout ça quoi... Super.

C'est aussi lors de cette première visite que vous allez être confrontée à ce qui peut virer au cauchemar absolu de la femme enceinte : l'épreuve de la balance. Pas question de tricher car il vous surveille ! Si vous pesez 5 kg de plus qu'à la maison, c'est normal, car par un incroyable mystère de la physique, les balances des médecins sont plus sensibles que les autres. Donc, pas de panique, vous n'avez pas pris 5 kg d'un coup... Pas déjà. Ça viendra d'ici quelques semaines...

UNE PARESSEUSE AVERTIE EN VAUT DEUX :

• Si vous n'y tenez plus, annoncez la grande nouvelle à vos très proches (surtout pas d'impair ! les deux grands-mères en même temps !) en sachant que le mieux, c'est quand même d'attendre encore un mois que les risques de fausse couche soient passés.

• Marchez pour vous oxygéner et buvez beaucoup d'eau pour éviter les infections urinaires.

PENSE PAS BÊTE

Surveillez votre poids. C'est votre petit trésor qui gonfle comme un diodon, mais c'est vous qu'on va avoir à l'œil. Le bon ratio (dans les rêves des gynécos) ? 1 à 1,2 kg par mois. Mais la prise de poids se fait rarement avec cette régularité.

C'EST À VOUS !

Après avoir annoncé la nouvelles à vos très proches, qui sont les prochains ?

10

Votre bébé bondit comme un beau diable dans votre utérus, les poings devant le visage tel un boxeur prêt à frapper. Toute cette activité lui permet de fignoler son système nerveux et d'acquérir des réflexes, dont celui de la marche, indispensables à sa survie.
Ça bourgeonne aussi de partout : sur sa tête où apparaissent les bulbes pileux, dans ses mâchoires où les dents définitives se placent derrière les dents de lait.
C'est aussi la semaine où quelqu'un d'expérimenté peut voir s'il s'agit d'un petit garçon ou d'une petite fille car ses organes génitaux sont parfaitement visibles. Sachez aussi que votre bébé commence à se doter des cordes vocales dont il abusera dans quelques mois...

ça va toi, là-dedans ?

⭐ De la tête aux pieds

Taille : 7,5 cm (soit environ la taille de votre majeur)
Poids : 18 g

UNE PARESSEUSE AVERTIE EN VAUT DEUX :

• Si vous avez peur de faire une fixette sur votre poids, pesez-vous une fois par mois seulement.

• En cas de fringales violentes, mangez une pomme au lieu de tomber dans un paquet de Granola®.

✳ *Le syndrome du neurone unique (ou SNU)*

Cela fait trois fois que vous lisez le même mail, sans rien comprendre.

Vous regardez fixement votre dossier si important et si urgent sans avoir le courage de l'ouvrir.

Vous mettez une demi-journée à remplir un bon de Colissimo.

Vous oubliez vos rendez-vous avec une régularité qui frôle le génie.

Dans le métro, vous prenez quasi systématiquement la direction opposée de celle où vous voulez aller.

Et on ne parle pas de vos clés, de vos listes de courses, de votre portable, de vos lunettes que vous passez vos journées à chercher. « Tiens, elles sont sur ma tête ! » (vos lunettes, pas votre liste de courses).

Mais comment se fait-ce ? Ce sont les hormones, ma bonne dame, qui couplées avec la fatigue et l'angoisse font des ravages dans les cerveaux des femmes enceintes. C'est donc passager. Votre intelligence légendaire fera son grand come-back dans quelques mois. En attendant, vous pouvez lâcher prise. Vous avez une bonne excuse !

❗ C'EST À VOUS ! En parlant de neurone unique... un grand moment de solitude à raconter ?

PENSE PAS BÊTE

↪ Première échographie.

➕ *Notez ici toutes les questions que vous voulez poser lors de l'échographie :*

LA PREMIÈRE ÉCHOGRAPHIE

La sonde est au plus profond de votre intimité !
Un brouillard blanc sur fond noir… Des formes qui apparaissent,
dansent sur l'écran… Ça bouge, ça tremble…
Vous avez beau vous concentrer, vous n'y voyez rien.

Quand soudain, bingo, vous apercevez une drôle de petite silhouette. Vous jetez un coup d'œil à votre chéri qui ne vous regarde pas, tellement il est tétanisé. Vous paniquez : peut-être qu'il vient d'en voir un deuxième caché au fond ou qu'il a vu qu'il lui manquait une jambe ? Mais non, il y en a qu'un, tout mimi, tout joli, tout bien formé de partout, qui semble vous faire coucou comme un astronaute dans sa station orbitale. Une larme coule sur votre joue, puis une deuxième, puis c'est un flot, une cascade, un déluge… Vous vous retrouvez dans les bras l'un de l'autre : « Quoi, on a fait ça nous ? Il est trop beauuuu !!! »

Ça y est, vous l'avez vu. C'est pour de vrai. Vous attendez vraiment un bébé !

Pendant que vous reniflez bruyamment, l'échographiste, imperturbable (il en a vu d'autres), va vérifier :

→ sa taille grâce à laquelle il pourra vous confirmer l'âge de votre grossesse car entre 6 et 11 semaines, tous les embryons font quasiment la même longueur ;

→ l'état général de votre utérus ;

→ où se trouve le placenta.

Il va aussi prendre toutes sortes de mesures, notamment le diamètre de sa tête (ou BIP), le diamètre de son abdomen, la longueur de l'un de ses fémurs, la clarté nucale… autant d'indices pour vérifier que votre bébé se développe bien.

Et pour finir, il écoutera et vous fera écouter son petit cœur. Séquence émotion garantie !

Collez ici
une photo de l'écho

SEMAINE 11

SA 13

Son visage ressemble de plus en plus à celui d'un bébé. Ses intestins sont si longs qu'ils débordent encore un peu du ventre (pas de panique, ils devraient y rentrer complètement bientôt) mais l'événement le plus important de cette semaine, c'est l'apparition des premiers os (côtes, bassin…).
Sinon c'est la fête, la bamboula non-stop. Le sieur bébé a de la place pour bouger et il en profite.
Et que j'agite mes petites mains, et que je te balance des coups de poings… Mais, vu sa taille de libellule, vous ne le sentez pas.
En revanche, lui, il vous sent et si vous posez doucement la main sur votre ventre, il va réagir.
Il paraît même qu'à ce stade, il craint déjà les chatouilles !

⭐ De la tête aux pieds

Taille : 8,5 cm
Poids : 28 g

UNE PARESSEUSE AVERTIE EN VAUT DEUX :

• Arrêtez de dormir sur le ventre pour ne pas compresser votre utérus. De toute façon, vu la taille dudit utérus (d'orange, il est passé à pamplemousse), vous ne devez plus trouver cette position si agréable que ça.

✳ *La grande solitude devant l'open-bar*

Quand vous avez été invitée à cette fête, vous vous êtes dit : « Chouette, je serai encore suffisamment en forme pour en profiter ! ». Le jour J, tout à votre joie de vous lâcher une dernière fois avant longtemps, vous vous êtes pomponnée, maquillée, parée de vos plus beaux atours et avez fait une entrée remarquée chez vos copains.

Très vite, vous avez tenté de groover sur la piste de danse et très vite... vous avez eu mal au ventre (eh oui, déjà). Vous avez donc renoncé à faire votre dancing queen.

Pour vous occuper, vous avez décidé de reprendre un verre, mais, écœurée par vos dix jus d'orange, vous restez plantée là en regardant avec envie les bouteilles de champagne (« Pas touche, pas touche ! »).

Vous cherchez vos copines des yeux, mais elles sont toutes sorties fumer une cigarette (« Pas touche, pas touche ! »). Alors, comme vous venez d'esquiver de justesse un coup de coude dans le ventre pour la énième fois, vous allez vous réfugier seule dans la cuisine où vous posez les fesses entre une quiche et un saladier de pistaches (« Pas touche, pas touche ! »). Prises de pitié, vos copines viennent vous rejoindre et, croyant vous faire plaisir, engagent la conversation sur le seul sujet qui, pensent-elles, peut vous intéresser : le bébé.

Au secours !!!

❗ C'EST À VOUS ! Maintenant que l'accès au russe blanc et à la caïpirowska vous sont interdits, que faites-vous de vos soirées endiablées ?

PENSE PAS BÊTE

➜ Faites la prise de sang HT21 pour connaître votre taux d'alphafoetoprotéine (un marqueur sérique) et les éventuels risques de trisomie 21.

➜ Annoncez la grande nouvelle à votre patron (allez, courage...).

➜ Si vous ne l'avez pas encore fait, dépêchez-vous d'envoyer vos papiers de grossesse à la Sécu et à la CAF, jeune écervelée. Vous avez jusqu'à la 12ᵉ semaine pour le faire et la 12ᵉ semaine, c'est la semaine prochaine !

lundi matin, l'empereur, sa femme et le petit prince ... ♪ 🎧 ♪ ♪

Comme aurait dit votre ancien prof de sciences : qui dit « os », dit « moelle osseuse » et donc « cellules sanguines ». Et ça y est, votre bébé en fabrique ! C'est aussi à ce stade que le zizi des garçons se met à pousser et que les ovaires des filles commencent à se former et leurs glandes sexuelles à produire des hormones. Votre bébé commence à avoir un cou qui lui dégage joliment sa petite tête, petite tête d'autant plus mimi que ses yeux sont enfin à leur place définitive. Autre avancée majeure : ça y est, le placenta est définitivement formé. À partir de maintenant, tous les échanges entre votre bébé et vous vont passer par lui, comme un passe-plat où transiteraient son oxygène, ses aliments et ses déchets.

peut-être m'acheter des vêtements plus amples

⭐ De la tête aux pieds

Taille : 10 cm
Poids : 45 g
(soit une demi-plaquette de chocolat)

UNE PARESSEUSE AVERTIE EN VAUT DEUX :

• Suspendez votre abonnement à votre club de gym et faites du yoga, du pilates ou de la natation à la place (souverain contre le mal de dos). Sinon marchez !

✳ *Sexy ou à l'aise ? Choisis ton camp, camarade...*

Si vous avez tenu bon jusque-là, vous commencez probablement à ne plus pouvoir supporter votre lingerie fine : vos strings vous scient l'entrejambe, l'élastique de vos boxers vous appuie sur le ventre et la dentelle de vos soutiens-gorge vous irrite les seins... Normal. Désolée de vous décevoir, mais il va falloir ranger vos jolis ensembles en attendant des jours meilleurs et investir dans des petits dessous 100 % confort. Le top ? Les culottes basses en coton qui laissent le ventre enfler à sa guise et les soutiens-gorge à larges bretelles, avec au moins un cran de fermeture en rab. En effet, si vos seins ont pas mal grossi au premier trimestre, ils vont faire une pause de quelques semaines pour gonfler encore plus après. Donc, un conseil, attendez encore un peu avant d'investir dans un soutien-gorge de grossesse car, oui, vous allez peut-être enfin faire un bonnet D !

❗ C'EST À VOUS ! Petite liste de commissions... Quels éléments de garde-robe devez-vous absolument renouveler sous peine de faire craquer quelques coutures ?

_____

_____

_____

_____

_____

PENSE PAS BÊTE

⟳ Si vous avez mal en faisant l'amour (quoi, « Il n'y a pas de danger » ?), consultez votre médecin.

⟳ Mangez équilibré car ça y est, votre bébé puise les vitamines et les sels minéraux directement dans votre sang, avec tous les risques d'anémie que cela implique pour vous (voir les aliments à privilégier pages 31-33).

AÏE ! même ma culotte me serre...

SEMAINE 13

SA 15

Ça continue à grandir et à s'agiter là-dedans ! Grâce à ses belles articulations toutes neuves, votre bébé peut ouvrir, plier les doigts, les mains, les poignets, les coudes, les genoux, les orteils…
C'est aussi à cette période que certains bébés essaient de téter… le plus souvent dans le vide.
La mélanine (le pigment de la peau) commence à apparaître et à la teinter légèrement. Côté transit, ça se met aussi doucement en place avec l'apparition d'un système d'absorption et d'excrétion primitif. Et tout ça passe où ? On vous le donne en mille… dans le liquide amniotique qu'il boit ! « Ça y est, les détails gore commencent », pensez-vous. Et vous avez raison !

il faut que je fasse pipi NOW !

⭐ De la tête aux pieds

Taille : 12 cm
Poids : 65 g

UNE PARESSEUSE AVERTIE
EN VAUT DEUX :

• Si vous craignez de gaver votre entourage avec le récit complet et détaillé de votre grossesse, faites un blog !

✳ « J'ai une bonne nouvelle à vous annoncer... »

Que votre patron le prenne mal, ça, vous vous y attendiez ! C'est qu'il n'aime pas l'imprévu, le cher homme. Comme si vous étiez la première... Bon, passons.

Non, ce qui risque de vous étonner, c'est la réaction de votre entourage. En guise de « Ah, super, qu'est-ce qu'on est contents pour toi ! », vous allez peut-être avoir droit à :

• « Quoi ? À ton âge, c'est de l'inconscience. Tu sais comment ça va se terminer ? Alitée avec les pattes en l'air ! » (*pour les plus de 35 ans*)
• « Quoi à ton âge, tu sais dans quoi tu t'embarques ? » (*pour les moins de 25 ans*)
• « Encore ? »
• « Déjà ? »
• « Enfin, tu vas devenir une grosse vache ! » (*pour les maigres*)
• « Ah, ben, on n'y croyait plus ! »
• « Je m'en doutais, ta détox Perrier-citron, je n'y croyais pas. »
• « Mais vous deviez vous séparer, non ? »
• « Mais vous deviez vous marier, non ? »
• « Oh, mes pauvres, comment vous allez faire ? » (*si vous attendez des jumeaux*)

Eh oui, l'annonce d'une grossesse ne donne pas toujours lieu à des effusions de joie. Donc, préparez-vous à en entendre des vertes et des pas mûres !

PENSE PAS BÊTE

➜ Si ça vous brûle quand vous faites pipi, si vous trouvez des drôles de trucs au fond de votre culotte, appelez votre médecin.

❗ C'EST À VOUS !

Ça y est, vous avez craché le morceau ! Tata Suzanne est-elle tombée dans les pommes ? Pépé Mathurin a-t-il laissé échapper une larme ?

Comment survivre aux « petits » désagréments de la grossesse

Les nausées

En attendant le moment béni de la fin du 3e mois qui marque généralement la fin des nausées, voici quelques petits trucs tentés par des paresseuses téméraires.

➡ Lavez-vous les dents avec un dentifrice à la fraise (ou pas de dentifrice du tout) si l'odeur de menthe vous révulse.

➡ Mangez du gingembre confit.

➡ Buvez un peu de vrai Coca sans bulles.

➡ Essayez les bracelets anti-nausées vendus contre le mal des transports dans les pharmacies.

➡ Fractionnez vos repas pour ne jamais avoir l'estomac complètement vide, autrement dit faites un goûter light (à base de fruits) vers 11 heures et vers 16 heures.

➡ Limitez le café et les boissons à base de caféine.

➡ Arrêtez de manger gras et épicé et privilégiez les aliments au goût neutre ou frais comme les viandes blanches, les pâtes, le riz, les yaourts nature, le pamplemousse, l'ananas, les fraises, les pommes...

➡ Buvez de l'eau chaude juste après les repas, aromatisée avec une rondelle de citron.

➡ Mangez les fruits en dehors des repas.

➡ Massez-vous le point au centre du poignet droit juste sous la main.

➡ Si c'est l'hiver, baissez le chauffage (19 à 20 ° C).

➡ Faites de la relaxation car les nausées peuvent être dues à la peur et à l'angoisse.

➡ Essayez les médecines douces : homéopathie, ostéopathie. En revanche, l'acupuncture et la réflexologie sont déconseillées pendant la grossesse et c'est dommage, car ça fait un bien fou !

Pour vous consoler, sachez qu'avoir des nausées est bon signe : ça veut dire que tout se passe bien à l'intérieur de vous. Ça vous fait une belle jambe, hein ? Burp.

Les seins douloureux

En attendant de pouvoir investir dans un vrai soutien-gorge de grossesse, achetez un soutien-gorge de sport à larges bretelles pour :
• avoir un bon maintien
• couper l'envie à votre chéri d'y toucher (vous allez voir, c'est radical). Gardez-le jour et nuit.
Euh... pensez quand même à le laver de temps en temps !

tout n'est pas super glam quand t'es enceinte...

Les hémorroïdes

D'abord et surtout, réagissez tout de suite pour que la situation ne s'aggrave pas : cela évitera de vous retrouver à quatre pattes chez un spécialiste à 80 euros. Alors que faire ?

Restez le plus possible allongée.

À la place des strings, mettez des culottes en coton genre celles que vous mettiez quand vous étiez une petite fille.

Nettoyez-vous bien la zone douloureuse après chaque passage aux w.-c. avec un coton mouillé plutôt que du papier pour ne pas l'irriter davantage puis badigeonnez-la avec une crème spéciale. Garder cette crème au frigo, pour le double effet Kiss Cool®...

Faites des bains de siège d'eau chaude plusieurs fois par jour pendant un quart d'heure en priant sainte Rita pour que ça marche. À l'inverse, sachez que le froid soulage aussi, genre sacs de glace ou compresses froides. À vous de voir ce qui vous convient le mieux.

Arrêtez tout de suite le thé, le café et les épices qui ne font qu'accroître la douleur.

Liquéfiez au maximum votre transit en buvant beaucoup, beaucoup d'eau et en mangeant beaucoup de fibres.

Prenez des antidouleurs avec l'accord de votre médecin.

Et enfin, pour vous consoler, sachez que vous êtes loin d'être la seule dans ce cas et que si les femmes enceintes marchent souvent en canard, ce n'est pas toujours à cause de leur gros ventre !

La constipation

Au fil des semaines, il n'y a pas que vous qui allez avoir une grosse flemme, vos intestins aussi. La faute au taux de progestérone qui les rend paresseux et au bébé qui les pousse et les tasse sur le côté.

Buvez beaucoup d'eau.

Gavez-vous de fruits en privilégiant notamment les abricots secs et les pruneaux.

Mangez du pain, du riz, des pâtes complètes.

Si la situation est vraiment bloquée, prenez un bol de céréales complètes le matin (les All bran® classiques sont radicales).

Essayez l'homéopathie.

Même si la panne est importante, ayez la main légère pour ne pas tomber dans l'excès inverse. Le mieux, c'est de réagir vite sans attendre que ce soit un vrai problème avec les risques d'hémorroïdes, voire de thrombose, que ça peut entraîner. Et ça, ça fait horriblement mal.

En ce début de quatrième mois, le squelette de votre bébé commence à durcir. Il s'agite toujours autant, même si maintenant, ce n'est plus par pur réflexe mais sur ordre du cerveau. Il peut aussi avoir le hoquet à l'insu de votre plein gré car, pour le moment, vous ne sentez rien. Son système immunitaire commence à fonctionner même s'il est toujours protégé par vos hormones, via le placenta.

Depuis la semaine dernière, il a pris pas mal de poids puisqu'il est passé d'environ 60 grammes à une petite centaine de grammes. À ce rythme, il va bientôt avoir des bourrelets ! C'est peut-être pour ça qu'il fronce les sourcils...

Il a maintenant les jambes plus longues que les bras et ça ne fait que commencer (pensez à quand il sera ado !). Normalement, son intestin est désormais bien rentré dans le ventre et ses organes commencent à fonctionner ensemble. S'il n'est pas myope, l'échographiste devrait pouvoir vous dire si c'est un garçon ou une fille du premier coup d'œil.

Hop, hop, on laisse passer la femme enceinte !

⭐ De la tête aux pieds

Taille : 14 cm
Poids : 110 g

✱ *Un chapitre se ferme, un nouveau s'ouvre...*

Premier motif de réjouissance : toutes les souffrances et désagréments du premier trimestre sont (provisoirement) terminés. Donc, si ça fait trois mois que vous vomissez tripes et boyaux/que vous vous traînez comme si vous vous étiez une citerne de Lexomil/que vous avez le Q.I. (à défaut d'avoir déjà les seins) de Pamela Anderson/que vous passez du rire aux larmes comme une candidate de Koh-Lanta (même si, à bien réfléchir, c'est un peu ça...)/que vous jonglez entre les All bran® et le riz/que vous avez mal partout/que vous avez tout le temps envie de faire pipi/que vous vous faites fusiller du regard quand vous demandez une place assise dans le métro ou que vous doublez tout le monde à la caisse du supermarché... Souriez, car vous entrez dans la partie la plus agréable de la grossesse, celle où on a tous les avantages (attentions, prévenance, chouchoutage...) sans les inconvénients. Donc, place à l'attente sereine et à l'épanouissement (euh, pas trop quand même !).

Deuxième motif de réjouissance : votre bébé est (normalement) à l'abri des ennuis et c'est aussi à partir de maintenant que vous allez pouvoir savoir (ou pas) si vous devez investir dans de la peinture rose ou bleue.

Tiens, tout ça donnerait presque envie de déboucher une bonne bouteille de... Perrier !

❗ C'EST À VOUS !
Votre premier contact avec la maternité dans laquelle vous êtes inscrite...

✚ UNE PARESSEUSE AVERTIE EN VAUT DEUX :

• **Vous êtes en méga top forme, alors profitez-en !**

Même si c'est encore très rudimentaire, votre bébé commence à avoir conscience des différentes parties de son corps d'où peut-être son entêtement à vouloir s'attraper les mains.

Physiquement, il ressemble de plus en plus à un bébé avec un joli visage bien proportionné où tout est maintenant en place. Sa peau est encore mince et transparente.

En avalant et en recrachant du liquide amniotique (jusqu'à 500 ml par 24 heures), il entraîne sa cage thoracique à se soulever et se baisser, un réflexe qui lui sera bien utile quand il devra respirer.

AAAAII

J'ai bu un verre de vin ...

⭐ De la tête aux pieds

Taille : 16 cm
Poids : 135 g

UNE PARESSEUSE AVERTIE
EN VAUT DEUX :

• Si c'est votre deuxième ou troisième (quoi, huitième ?) bébé, vous devriez commencer à le sentir. En revanche, si c'est votre premier, il va encore falloir attendre un peu. Oui, on sait, c'est injuste.

✳ « *Au secours !* *J'ai peur d'avoir un alien dans mon ventre !* »

Cette nuit, vous vous êtes réveillée en sueur, la gorge serrée, le cœur à 200, au bord des larmes à cause d'un gros méchant cauchemar.

Ou alors vous angoissez en pensant à toutes ces clopes que vous avez fumées sans savoir que vous étiez enceinte.

Ou vous vous en voulez à mort d'avoir craqué l'autre soir à l'apéro et trempé vos lèvres dans une coupe de champagne...

Pas de panique, tout est normal. Vous avez juste peur d'avoir un enfant anormal, comme 100 % des femmes enceintes, peur aggravée par le fait que cette semaine, vous attendez peut-être encore les résultats de la fameuse HT 21.

En attendant les résultats, dites-vous qu'on voit désormais des tas de trucs à l'échographie, notamment une liste longue comme l'Almanach Vermot d'indices rassurants : clarté nucale, forme des mains, taille de la tête... Et que donc, si la première écho a été bonne, il n'y a pas de raison de s'inquiéter.

❗ C'EST À VOUS !

Comment vous sentez-vous, là, maintenant ?

_____

_____

_____

_____

_____

PENSE PAS BÊTE

↪ 2ᵉ visite prénatale.

↪ Faites une prise de sang et une analyse d'urine.

➕ *Notez ici toutes les questions que vous voulez poser à votre gynéco :*

Votre bébé a encore grossi et ça commence à se voir sur son visage qui s'arrondit !!! Pas étonnant car en une semaine, il a multiplié son poids par deux. Il a deux magnifiques oreilles placées de chaque côté de la tête et même s'il a toujours les yeux fermés, il est sensible à la lumière. Ses sourcils commencent à se dessiner. Ses oreilles perçoivent des sons que son cerveau ne peut pas interpréter. Son corps commence à se couvrir de poils, un duvet protecteur appelé lanugo qui tombera juste avant la naissance (ouf !). Dans ses poumons, qui sont les derniers organes à arriver à maturité, des petites alvéoles commencent à apparaître tandis que le bout de ses doigts et de ses orteils se tapisse de cellules du toucher. Et si vous pouviez le voir en gros plan, vous vous apercevriez qu'il fait déjà plein de grimaces, le coquin.

⭐ De la tête aux pieds

Taille : 17,5 cm
Poids : 160 g

La fête du slip

Si ça n'a pas été l'extase sexuelle au premier trimestre (la faute à la fatigue et aux nausées), c'est le grand rattrapage au deuxième. Le problème, c'est qu'on commence à enfler de partout et pas que des seins. De quoi déconcerter plus d'une paresseuse et surtout plus d'un chéri de paresseuse.

On oublie donc la position du missionnaire classique trop « écrasante » pour le ventre pour en découvrir de nouvelles. La règle d'or, à partir de maintenant, c'est de contourner le ventre. Donc, on plie les jambes de chaque côté ou, si on est souple, on les tend à la verticale et on laisse faire monsieur. Autre possibilité, la technique dite « des petites cuillers », c'est-à-dire tous les deux allongés sur le côté avec monsieur derrière. Ou enfin, on prend le dessus. En revanche, on évite des postures trop périlleuses genre « la toupie tourbillonnante ».

Et puis, il y a les baisers, les caresses, les massages bien ciblés (pas sur le ventre !), les léchages et autres petits tripotages...

Toujours pas motivée ? Alors sachez qu'il se murmure que grâce à l'augmentation du volume sanguin, le plaisir serait décuplé. Info ou intox ? À vous de vérifier...

PENSE PAS BÊTE

Si vous avez des contractions, parlez-en à votre médecin, elles peuvent agir sur le col de l'utérus.

 ## C'EST À VOUS !

Petite liste de commissions... Quels sont les aliments qui vous font envie ?

UNE PARESSEUSE AVERTIE EN VAUT DEUX :

• Normalement, vous devez passer de plus en plus de temps aux toilettes. Pour booster votre transit et éviter d'avoir à trop pousser (think « hémorroïdes »), mangez des fibres, c'est-à-dire des fruits frais, des fruits secs, des légumes secs (des lentilles, des pois chiches mais pas de haricots sinon gare à l'aérophagie !) et des produits à base de céréales complètes (pain, pâtes, riz, céréales...).

Les nerfs de votre bébé se gainent de myéline, une substance qui facilite les échanges nerveux et donc l'aide à mieux bouger et surtout à coordonner ses mouvements !
En revanche, vous avez beau rester des heures immobile, allongée sur votre canapé, vous ne sentez peut-être encore rien.
Oui, on sait, c'est rageant.
Votre bébé est strié de petites lignes bleues car sa peau est si transparente qu'on voit les vaisseaux sanguins en transparence.
Il se passe aussi beaucoup de choses dans son petit bidon : l'appendice se forme tandis que l'intestin se remplit doucement de méconium, son futur premier caca !

j'ai envie de dévaliser les boutiques alors que je ne rentre que dans des leggings ?

⭐ De la tête aux pieds

Taille : 19 cm
Poids : 200 g

UNE PARESSEUSE AVERTIE EN VAUT DEUX :

• Buvez, buvez, buvez... Mais j'ai déjà tout le temps envie de pipi ! Pas grave. Il faut vous hydrater. Et puis, ça aussi, c'est bon pour le transit.

✳ *Une furieuse envie de shopper…*

Maintenant que la pêche est revenue, vous n'avez qu'une envie : écumer les boutiques pour vous acheter plein de belles fringues de grossesse et montrer au monde entier que « vous en êtes ». Oui mais voilà, dans 95 % des cas, à ce stade de la grossesse, les fringues de grossesse font plus « moumoune essaie de cacher son petit ventre » que « futur bébé à bord ».

Donc, à éviter encore quelque temps. En attendant, ouvrez vos jeans sous vos tuniques, piquez les chemises du papa, achetez un pantalon deux tailles au-dessus de votre taille officielle ou un baggy taille basse…

Et pour tuer le temps, allez faire du repérage ou rêvasser dans les rayons peluches des grands magasins… mais sans un fifrelin en poche !

LA NO-LIST DES FRINGUES DE GROSSESSE

➲ Les caleçons blancs.

➲ Les grands tee-shirts informes et défraîchis.

➲ Les tops moulants à grosses rayures horizontales.

➲ Les robes chasubles.

➲ Les claquettes de piscine…

❗ C'EST À VOUS !

c'est trop
↙ mignon

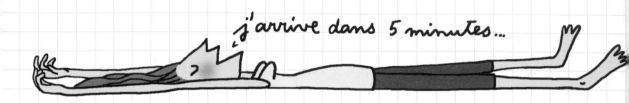

j'arrive dans 5 minutes...

COMMENT RESTER BELLE ENVERS ET CONTRE TOUT ?

La vie est injuste. Alors que votre cousine irradiait pendant sa grossesse, vous vous traînez lamentablement, le cheveu plat et l'œil cerné. Et pour briller, vous brillez, mais de sueur. Allez, ne désespérez pas, on peut arranger ça... ou au moins, limiter les dégâts grâce aux conseils de nos copines Laetitia, Gisele, Milla et les autres... Enfin, surtout les autres.

❋ Utilisez du gel douche sans savon.

❋ Terminez la douche par un jet d'eau froide sur les pieds, les mollets... ça va ? Et maintenant, remontez jusqu'aux cuisses... sans oublier les fesses !

❋ Quelle que soit la saison, mettez de la crème solaire bio avec un indice de protection d'au moins 15 en ville et d'au moins 40 à la mer ou à la montagne pour éviter de choper un masque de grossesse. Et souvenez-vous qu'après six mois de grossesse, le soleil, c'est fini !

❋ Investissez dans un pinceau-éclat pour masquer les cernes et tout ce qui fatigue le visage : pattes d'oie, rides du lion, sillons autour de la bouche... et, même si vous ne savez pas vous maquiller, mettez au moins une touche de mascara pour vous donner l'œil vif.

❋ Offrez-vous une épilation des sourcils pour les restructurer et booster votre regard, et pensez à les brosser vers le haut.

❋ Mettez-vous un petit coup de blush sur les pommettes. La bonne couleur ? Le bois de rose.

❋ Enduisez-vous d'huile d'amande douce en insistant sur les zones à risques : les seins, le ventre, les hanches, les cuisses... C'est aussi efficace que les crèmes spéciales et c'est beaucoup moins cher, un détail important quand on sait que plus les semaines passent, plus la zone à traiter s'étend !

❋ Profitez de la moindre occasion pour dormir.

❋ Pomponnez-vous (bain, gommage léger, masque éclat ou réfrigérant) ou mieux, faites-vous offrir un soin spécial futures mamans par votre chéri.

❋ Restez zen (pour vous aider, faites de la relaxation ou mettez-vous au yoga ou à la sophrologie).

❋ Enfin, achetez un chapelet et priez pour que votre peau ne pète pas de partout en fin de grossesse.

SPÉCIALE DÉDICACE AU PAPA

Depuis le temps qu'on vous en parle, vous avez fini par imprimer. Non, votre chérie ne souffre pas d'aérophagie chronique. Oui, ce truc qui lui a fait exploser ses jeans et tambourine derrière sa peau est un bébé. Et dans quelques jours, quelques heures même peut-être, vous allez faire sa connaissance.

Pour que vous ne vous retrouviez pas démuni, voici quelques petits conseils à apprendre par cœur :

➡ Quand, pliée en deux, votre chérie vous dira qu'il faut partir, il faudra vraiment partir, c'est-à-dire renoncer à boire un café, à prendre une douche ou à terminer votre partie de poker en ligne.

➡ Il faudra rouler vite (surtout si vous habitez à une heure de route de la maternité), mais pas trop quand même, notamment dans les ronds-points. Pensez aussi à lever le pied sur les ralentisseurs ou les nids de poule, votre chérie vous en sera reconnaissante.

➡ Arrivés à la maternité, si votre chérie est incapable de se lever, ne la traitez pas de grosse feignasse, mais foncez chercher un fauteuil roulant et un infirmier.

➡ Quand l'élève infirmière essayera de placer la perf' pour la cinquième fois, ne tournez pas de l'œil. Respirez un grand coup et encouragez-la : « Allez, Cindy ! Tu peux le faire ! »

➡ Quand le médecin viendra ausculter votre chérie et qu'il la regardera sous un angle dont vous pensiez avoir l'exclusivité, ne lui fracassez pas la mâchoire. Pire, préparez-vous psychologiquement à voir une douzaine de personnes en faire autant dans les heures qui viennent.

➡ Quand l'anesthésiste viendra annoncer à votre femme qu'il est trop tard pour faire une péridurale, ne vous mettez pas à pleurer mais réconfortez-la même si vous rêvez de vous téléporter à l'autre bout du monde.

➡ Soyez brave, suivez-la jusque dans la salle d'accouchement même si vous ne voulez pas assister à la naissance... personne ne vous ligotera au pied du lit pour vous empêcher d'aller boire un café (la bonne excuse...).

➡ Quand elle aura vraiment mal (car oui, ça va empirer), laissez-la vous labourer le bras sans rien dire. Mieux, souriez-lui tendrement.

➡ Quand poindra le bout du nez du bébé, si vous êtes encore là, vous n'êtes pas obligé de tout regarder en direct live dans une glace. Au contraire, enfouissez le visage dans le cou de votre chérie genre « je lui susurre des encouragements ».

➡ Quand bébé sera là, vous aurez le droit de verser votre petite larme et de dire des banalités comme : « C'est le plus beau bébé du monde. »

➡ Enfin, sachez que rien ne vous oblige à prendre le placenta en souvenir.

vous avez vu ma femme, elle est belle, belle, belle...

⭐ De la tête aux pieds

Taille : 20 cm
Poids : 240 g

Et c'est parti pour le cinquième mois ! Dans sa joie de ressembler de plus en plus à un petit d'homme, votre bébé se laisse pousser les poils, les cheveux et les ongles. Sa peau commence à s'épaissir. Des lignes commencent à se dessiner à l'intérieur de ses mains et sur ses doigts apparaissent les empreintes digitales... Au milieu de tout ça, son cœur bat à tout rompre. Bien que l'on soit à la moitié du terme, votre petite merveille fait tout juste le poids d'une plaquette de beurre. Ça vous laisse deviner la vitesse à laquelle il va bientôt se mettre à grossir ! Tout petit, tout rikiki, mais déjà doté de toutes ses cellules nerveuses qui sont près de 14 milliards. Mais où met-il tout ça ? Et maintenant que les cellules nerveuses sont là, les connexions vont pouvoir se faire, connexions qui régiront plus tard la mémoire et la pensée.

UNE PARESSEUSE AVERTIE EN VAUT DEUX :

• Surveillez-vous et au moindre symptôme suspect ou très marqué, appelez votre médecin.

Super papa !

Le jour où il a appris qu'il allait être papa, votre chéri s'est mis sur Internet et a commandé absolument tous les livres de grossesse.

Le matin, vous avez à peine le temps d'ouvrir une paupière qu'il saute du lit, vous prépare votre petit déjeuner et revient dare-dare vous aider à vous habiller.

À la maison, vous ne pouvez absolument plus rien faire, même pas porter votre plateau-repas devant la télé.

Il vous amène et vous ramène lui-même du travail pour vous éviter de prendre les transports en commun.

Il surveille de près (de très près) votre alimentation et a d'ailleurs viré des placards toutes vos petites réserves secrètes.

Il vous suit à chaque visite de contrôle et vous met la honte avec toutes ses questions.

Il vous exhibe comme un animal rare.

Il vous a fait une tête au carré, l'autre soir, en vous voyant revenir du sport (alors que justement, vous avez renoncé au step pour l'aquagym).

Allez, au lieu de râler après lui, profitez-en, d'autant plus que ça ne va pas durer ! Dites-vous que vous vivez le rêve éveillé de toutes les femmes : se faire chouchouter !

je t'interdis de porter ton sac, tu glisses tes clés et un billet dans une poche

PENSE PAS BÊTE

Prenez rendez-vous pour l'échographie du 5ᵉ mois qui doit avoir lieu entre la 20ᵉ et la 22ᵉ semaine.

C'EST À VOUS !

Et chez vous, avec le Super Papa, comment ça se passe ?

_____

_____

_____

_____

_____

_____

_____

_____

_____

_____

_____

Votre bébé est à mi-parcours entre sa conception et son entrée triomphale dans le monde. Il dort énormément : de 16 à 20 heures par jour. Du coup, il fait du gras. Quand il est réveillé, c'est activité maximale. Du coup, ça l'épuise. Et du coup, il s'endort. Quelle dure vie ! Cette semaine, votre bébé boit. Du liquide amniotique (et donc tout ce qu'il y rejette…). Résultat, en plus de l'entraîner à avaler du liquide, ça fait bosser son système digestif. Ses papilles gustatives sont formées et son sens du toucher continue de se développer… à voir comme il suce son pouce, se caresse le visage, tripote son cordon ombilical, il semble aimer ça !

Hé, macarena ♪

⭐ De la tête aux pieds

Taille : 21,5 cm
Poids : 335 g

➕ **UNE PARESSEUSE AVERTIE EN VAUT DEUX :**

• Si vous devez partir en vacances, choisissez votre lieu de résidence en fonction de votre état et de l'avancement de votre grossesse.

• Développez votre radar à toilettes : sachant que vous avez envie de faire pipi environ toutes les heures, repérez les toilettes dès que vous arrivez dans un nouvel endroit.

Allô bébé, ici la Terre

Comme la nature est bien faite, pour mieux supporter les petits soucis évoqués ici et là dans ce livre, il y a aussi de grands bonheurs qui vous attendent à l'aube de ce 5ᵉ mois, dont celui de sentir enfin bouger votre bébé et de pouvoir communiquer avec lui. Alors n'hésitez pas à caresser votre ventre si vous le sentez gambader derrière, à lui parler et pourquoi pas à lui chanter une petite chanson, une façon comme une autre de l'habituer à votre douce voix. Pas la peine de lui sortir le top 50 : une ou deux petites berceuses bien ciblées suffisent, berceuses que vous lui chanterez plus tard pour l'apaiser (et, ô, miracle, ça marchera !)

Sinon, bien sûr, il y a les cours « bobos » (dans le sens figuré, bien sûr) comme l'haptonomie qui, en plus de favoriser le lien bébé-parents, permet au papa de partager les sensations de la maman (et donc, de s'investir), ou le chant prénatal pour se préparer harmonieusement à l'accouchement. Casseroles, s'abstenir...

PENSE PAS BÊTE

Apprenez à bien respirer. Allongée par terre, les jambes fléchies et le dos bien plaqué au sol, inspirez doucement par le nez en faisant monter votre ventre et expirez par la bouche en le faisant descendre. À faire plusieurs fois de suite, le plus souvent possible.

C'EST À VOUS ! Une playlist idéale pour éduquer bébé à la musique que vous aimez.

_____

_____

_____

_____

_____

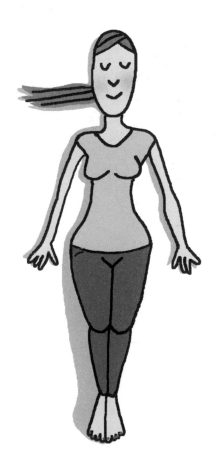

Que ce soit un garçon ou une fille, votre bébé se dote d'une paire de mamelons. Si c'est une fille, son vagin commence à se creuser.

Si c'est un garçon, ses testicules ont commencé leur lente descente dans les bourses et fabriquent une sorte de sperme primitif.

Cette semaine, c'est dans la tête de votre bébé que ça se passe : le cerveau continue de grossir tandis que les connexions se font de plus belle pour l'aider, par exemple, à mieux entendre ce qui se passe à l'extérieur (conversations, bruits forts, musique...).

Enfin, sa peau, qui continue de s'épaissir, est maintenant rouge, fripée et recouverte d'un fin duvet (le lanugo). Top model... mais pas trop quand même !

J'ai un petit creux... je mangerais bien un pot au feu ...

⭐ De la tête aux pieds

Taille : 22,5 cm
Poids : 385 g

UNE PARESSEUSE AVERTIE EN VAUT DEUX :

• Si vous gonflez plus que raisonnablement (notamment des doigts et des pieds), diminuez le sel et allez voir votre médecin pour vérifier que vous ne faites pas de l'œdème.

✳ *J'ai faim !!!*

Il pourrait parler, c'est sûr que c'est ce qu'il vous crierait à longueur de journée. Chaque fois que vous mangez, c'est comme si le petit vorace interceptait tout au passage. La sensation de faim revient si souvent que vous avez l'impression qu'à peine le dernier repas avalé, il tire sur le cordon ombilical pour demander le service suivant.

Entre nous, c'est normal que vous ayez faim puisque désormais, vous brûlez près de 600 calories en plus par jour ! Hum, 600 calories... L'équivalent d'un fondant aux trois chocolats... Ou de quatre tartines de Salidou... Ou d'une barre de Bounty™ et demie...

Stop ! N'y pensez même pas malheureuse, à moins de vouloir finir sur la place publique à sept mois de grossesse avec un panneau accroché au cou disant : « J'ai déjà pris plus de 25 kilos ! »

Alors, ayez toujours une pomme ou un petit en-cas diététique sous la main, ou fractionnez davantage vos repas pour gérer au mieux les petites et grandes fringales !

PENSE PAS BÊTE

➡ 3e visite prénatale obligatoire.

➡ Faites une prise de sang et une analyse d'urine.

➕ *Notez ici toutes les questions que vous voulez poser à votre gynéco :*

❗ C'EST À VOUS ! Ça se passe comment là-dedans ? Que ressentez-vous quand bébé bouge ?

Tout ce que vous rêverez un jour de couper se met à pousser : du duvet sur la tête de votre bébé et des ongles aux mains et aux pieds. Mais bon, il n'est pas prêt de ressembler à un yéti. Vers 14 ans peut-être… Tout ça ne l'empêche pas de sucer son pouce comme un forcené. Alors au lieu de paniquer en pensant aux fortunes que vous allez laisser chez l'orthodontiste, dites-vous plutôt : « Chouette, il s'entraîne à téter ! » Il écoute sans arrêt ce qui se passe autour de lui avec, en priorité, vos bruits à vous : la douce mélodie de votre voix, les battements de votre cœur, les pulsations de votre sang dans vos artères, mais aussi des bruits moins délicats comme les gargouillements d'estomac…

ces escaliers m'ont tué… un peu l'impression d'avoir 107 ans…

⭐ De la tête aux pieds

Taille : 24 cm
Poids : 440 g

UNE PARESSEUSE AVERTIE EN VAUT DEUX :

• Vous entrez dans la zone de tous les dangers pour les jambes (varices, fourmillements, gonflements…) alors marchez beaucoup et, si possible, élevez vos jambes au boulot.

« Quand est-ce que je m'arrête ? »

Ça y est, c'est officiel, vous n'en pouvez plus :

• de prendre le métro et de devoir, deux fois par jour, quasiment vous prosterner pour avoir une place assise ;

• d'avoir peur de vous faire écrabouiller le ventre par la foule ;

• d'être aussi essoufflée en montant un escalier qu'après une ascension de l'Himalaya ;

• de voir votre patron faire la gueule parce qu'il n'a toujours pas trouvé quelqu'un pour vous remplacer (vous êtes irremplaçable…) ;

• de devoir systématiquement refuser un café ou de ne plus pouvoir descendre fumer une clope entre collègues ;

• de crever de chaud à cause du chauffage mal réglé ;

• d'attendre impatiemment l'heure du déjeuner car, dès 11 heures, vous mourez de faim ;

• de refuser toujours et encore le saint duo café/clope ;

• d'être incapable de vous concentrer sur quoi que ce soit entre 14 heures et 16 heures ;

• d'avoir des fourmillements dans les doigts et donc de plus en plus de mal à taper sur votre clavier ;

• de finir la journée avec des jambes de maman éléphante.

Allez, c'est bientôt fini… plus que dix semaines à tenir. Gnark, gnark.

PENSE PAS BÊTE

➔ Renseignez-vous sur les cours d'accouchement pour trouver celui qui vous convient le mieux.

C'EST À VOUS !

Et vos envies, comment se portent-elles en ce moment ? Fromage de tête ou paris-brest ?

SEMAINE

22

SA 24

C'est quoi cette contraction ?

Cette semaine, commence l'opération « protection maximale ». La peau de votre bébé qui s'est bien épaissie ces derniers temps se recouvre d'une substance blanche et cireuse (le vernix caseosa), une sorte d'imper naturel qui le protège du liquide amniotique. Et ça y est, ce qui devait arriver est arrivé : sa peau se défripe. Sous ses paupières frangées de cils, l'iris de ses yeux commence à se teinter, mais ce n'est que dans un an que vous connaîtrez leur véritable couleur... Il fait maintenant des mouvements respiratoires réguliers même si ses poumons sont encore loin d'être achevés. Cette semaine est d'autant plus importante que, avec tous les moyens techniques et médicaux que cela implique, votre bébé pourrait survivre à l'extérieur. Mais franchement, il est beaucoup mieux dans votre ventre !

⭐ De la tête aux pieds

Taille : 26 cm
Poids : 500 g

UNE PARESSEUSE AVERTIE
EN VAUT DEUX :

• Si lors de l'échographie votre gynéco reste longtemps silencieux, ne paniquez pas, c'est juste qu'il se concentre.

Vraie ou fausse alerte ?

Vous étiez en train de papoter au téléphone avec une copine quand soudain, vous avez senti votre ventre se durcir. Grosse panique. Et si c'était une contraction ? Déjà ? Mais dites-moi pas que ce n'est pas vrai !

Eh bien peut-être que si mais, à ce stade, ce n'est pas forcément grave. C'est juste que votre ventre travaille. Ces fausses contractions, dites contractions de Braxton Hicks, sont indolores, ponctuelles et s'arrêtent quand on respire un bon coup ou que l'on se met à bouquiner pour se changer les idées (par exemple).

En revanche, si elles s'intensifient et sont douloureuses, appelez votre médecin car ça peut vouloir dire que votre bébé a déjà des envies de grand air. En attendant, allongez-vous et ne vous caressez plus le ventre : cela ne ferait qu'aggraver les choses.

C'EST À VOUS ! Quelques impressions sur ce deuxième rendez-vous avec bébé ?

_____

_____

_____

_____

_____

_____

_____

_____

PENSE PAS BÊTE

2ᵉ échographie.

Notez ici toutes les questions que vous voulez poser lors de l'échographie :

♪ on va voir notre bébé ♪

LA DEUXIÈME ÉCHOGRAPHIE

Pendant votre grossesse, si vous ne présentez pas de risques particuliers, vous allez avoir trois échographies au minimum, à moins que votre gynéco ait le matériel nécessaire (et l'envie) de vous en faire une à chaque visite.
Cette deuxième échographie est de loin la plus importante car, la première fois, votre bébé était minuscule et pas entièrement formé. Et à la prochaine, il sera trop gros pour qu'on le voie d'un bloc.

C'est lors de cette deuxième échographie que vous allez pouvoir savoir si c'est un garçon ou une fille, à moins que le petit coquin garde le dos obstinément tourné et les jambes croisées. Ça arrive...

Si vous préférez avoir la surprise à la naissance, n'ayez pas peur d'en faire trop et de répéter toutes les minutes : « On ne veut pas savoir » car, emportés par leur élan, les échographistes font souvent des gaffes, genre « Oh, qu'est-ce qu'on le voit bien ! Je vous dis ce que c'est ? » Entre nous, c'est rarement le pubis.

Outre la forme de son sexe, l'échographiste va vérifier que tous les organes sont bien formés et bien placés, que l'intestin est bien revenu dans sa cavité et que votre bébé grandit bien en mesurant le diamètre de sa tête (ou BIP) et le diamètre abdominal. Il va ensuite regarder le dos, le cerveau, la taille du fémur, la vitesse du sang dans le cordon et les artères, le placenta, etc.

Et vous, pendant ce temps, vous le verrez pédaler, sauter, porter la main à sa bouche, déglutir, respirer... ou tout simplement dormir.

*Collez ici
une photo de l'écho*

LE CHOIX DU PRÉNOM...

Les premières semaines, vous avez tenu bon, mais maintenant que vous paradez avec votre joli bidon et que tous les indicateurs sont au vert, vous ne cessez d'y penser... François ou Théodule ? Léa ou Arwen ? Ce qui vous avait paru évident jusque-là (« Quand j'aurai un enfant, je l'appellerai Ève ») l'est moins à présent... surtout que c'est un garçon !

Les rares fois où vous avez voulu aborder le sujet avec le papa, il vous a regardée l'air effaré, genre « mais qu'est-ce qu'elle me veut ? ». Ben oui, n'oubliez pas que c'est un homme. C'est comme lui demander d'organiser les vacances six mois à l'avance. Quelle idée ? Quel intérêt ? Surtout quand on peut s'y prendre au dernier moment.

Alors, préparez le terrain en douce. Incitez-le à faire une liste des fois que, par hasard, des idées lui traverseraient l'esprit. Et quand vous aurez cinq prénoms chacun, comparez-les. Bien sûr, ce serait miraculeux qu'il y en ait un commun, mais ça vous donnera une direction dans laquelle aller : héros mythologiques, grands classiques, acteurs américains, ou, justement, ne surtout pas aller...

Assurez-vous que l'association prénom/nom fonctionne à l'endroit (remember : Mégane Renault) comme à l'envers (Ida Corre)

N'oubliez pas que ce petit être qui vous balance de grands coups de pieds shootera un jour dans une cour d'école et qu'il découvrira l'écriture à travers son prénom. Alors, si vous voulez lui éviter un premier grand traumatisme, pas de prénom à rallonge ou avec plein de lettres compliquées, s'il vous plaît, merci.

Évitez un prénom trop fantaisiste ou à l'orthographe multivitaminée, du genre dont personne n'arrive jamais à se souvenir.

N'oubliez pas non plus qu'un jour, ce petit être deviendra adulte et peut-être même chef suprême de la galaxie, alors choisissez un prénom mignon certes, mais pas trop bébé sinon il aura un mal de chien à s'imposer. Donc évitez Saturnin, mais aussi Yu-gi-oh et Darth Vador !

À bannir aussi les prénoms composés à la sauce people comme Shiloh Nouvel, Scout LaRue, Sage Moonblood, Bluebell Madonna – avec un Grammy Awards spécial au bassiste du groupe Fall Out Boy qui a appelé son fils Bronx Mowgli Wentz ou BMW en raccourci...

Enfin, évitez les prénoms synonymes de grand traumatisme collectif. Dernier en date : Raymond.

	Vos prénoms préférés à vous	**Ses prénoms préférés à lui**
SI C'EST UNE FILLE		
SI C'EST UN GARÇON		

Après délibération...

Votre fille s'appellera	**Votre garçon s'appellera**

je mise tout sur le haut

⭐ De la tête aux pieds

Taille : 28 cm
Poids : 560 g

Cette semaine, deux maîtres mots qui doivent commencer à vous être familiers : vernix caseosa et lanugo. Les deux ont la même fonction : protéger la peau de bébé et pendant que l'un s'épaissit, l'autre s'étoffe. Mais la nature étant bien faite, vous n'accoucherez pas d'une peluche ! Euh... pas d'un bébé Cadum non plus. Plutôt d'une attendrissante petite crevette. Mais revenons à nos moutons. C'est-à-dire à ce ravissant fœtus de presque six mois.

Dans son cerveau, le câblage va bon train et c'est tant mieux, car à quoi bon avoir des neurones s'ils ne sont pas connectés ? Parallèlement à ça, pour qu'il puisse un jour faire de ravissantes risettes sur les photos, ses dents se préparent dans les gencives. Et pour finir, il bouge et il en profite, le coquinou, car bientôt, il sera trop à l'étroit pour pouvoir s'ébrouer comme un cabri. Et là, même si c'est votre premier bébé, vous devez le sentir. Surtout quand vous voulez dormir, sinon ce serait moins drôle ! Et à raison de vingt à soixante mouvements par demi-heure, ça en fait, de l'agitation !

Le plan B des fashionistas

Ça y est, yes, youpi-youpi, maintenant que vous êtes sûre que tout va bien et que votre état ne fait plus aucun doute, vous allez enfin pouvoir vous éclater dans les boutiques de grossesse. Et c'est là, normalement, que vous allez défaillir. « Quoi ? 80 euros une tunique que je ne vais mettre que quatre mois ! » « Argh, 150 euros par-ci ! » « Re-argh, 120 euros par-là ! » Bref, c'est la faillite assurée si vous voulez avoir un minimum de pièces avec lesquelles tourner.

Heureusement, foi de paresseuse, il y a un plan B, voire des plans B. Déjà, oubliez les spécialistes et allez plutôt traîner vos guêtres du côté des grandes chaînes qui ont désormais quasiment toutes des rayons grossesse jeunes, bien achalandés et pas chers (C&A, Kiabi, H&M...). Si vous êtes la reine du vintage, allez dans les dépôts-ventes, faites les vide-greniers des périphéries des grandes villes et pour les geeks, pensez eBay, Le Bon Coin et les sites de ventes privées qui livrent vite...

Et, toujours dans un souci d'économie, faites simple et monocouleur pour les bas pour pouvoir vous éclater à peu de frais sur les tops (décolletés, of course, c'est le moment ou jamais !)

PENSE PAS BÊTE

Commencez à muscler votre périnée, ça facilitera l'accouchement et ça permettra à votre vagin d'être au top pour vos retrouvailles avec votre chéri. Le mouvement à faire est simple. Imaginez que vous faites pipi et que vous voulez bloquer le flot d'urine. Puis relâchez. Bloquez à nouveau. Compris ? À faire à tout moment et n'importe où (sauf au volant !) par série de 10.

C'EST À VOUS !

Vos looks de grossesse préférés ?

UNE PARESSEUSE AVERTIE EN VAUT DEUX :

• Abordez la délicate question du prénom avec votre chéri et s'il vous propose Aragorn, Pikachu, Zébulon, Loana, Cunégonde, Clio (ou Chapi/Chapo pour des jumeaux), quittez-le. Non, on blague. Mais faites-lui potasser la fiche page 78.

Cette semaine, les ongles de votre bébé recouvrent maintenant entièrement le bout de ses doigts et de ses orteils. Sinon, et ça, c'est le top, il réagit au toucher et surtout aux sons au point de sursauter quand il entend un bruit fort (pas la peine non plus de taper sur une casserole avec une louche). Il arrive même à faire la distinction entre une conversation et des bruits ! Mais le plus dingue, dans l'histoire, c'est qu'il reconnaît déjà parfaitement le son de votre voix. Alors, n'hésitez pas à le caresser quand vous le sentez calé contre votre ventre, à lui parler ou à lui chanter une petite chanson... plutôt dans l'intimité de votre chambre si vous ne voulez pas passer pour une dingue.

ma tête qui tourne

⭐ De la tête aux pieds

Taille : 30 cm
Poids : 650 g

UNE PARESSEUSE AVERTIE EN VAUT DEUX :

• Ayez la main légère sur la brosse à dents pour éviter de trop faire saigner vos gencives !

• Si vous avez mal aux reins, basculez votre bassin vers l'avant le plus souvent possible pour soulager votre dos et renoncez à faire votre pépette : au placard les stilettos et vive les baskets !

Deuxième fournée

Ah, la grossesse. Quelle belle expérience ! Quel épanouissement !

Oui, sauf que l'organisme en prend un sacré coup : thyroïde en folie, vaisseaux-veines-artères submergés par un raz-de-marée sanguin, côtes basses écartelés, diaphragme remonté, intestin écrabouillé, organes gonflés à bloc, jambes en pilier, lombaires en vrac, hormones survoltées, tension à plat... Tout ça ne laisse pas indemne.

Bon, comme on a pitié, on va vous le faire court.
À partir de maintenant, ne soyez pas surprise si :

• vous transpirez à grande eau (la faute à la thyroïde) ;
• vous saignez des gencives ou du nez, vous avez des hémorroïdes, des varices ou des vaisseaux qui claquent sur les cuisses, les jambes lourdes, des fourmis dans les membres (ça, c'est l'accroissement de la masse sanguine) ;
• vous soufflez comme un fumeur de gitanes maïs ;
• vous avez des vertiges, des petits malaises ou des moments de grande faiblesse ;
• vous avez des aigreurs d'estomac (merci, la progestérone) ;
• vous faites pipi sans arrêt même si ça, ce n'est pas nouveau ;
• vous dormez mal ;
• vous avez des crampes et, imminemment sous peu, des poils et de la cellulite partout, le nombril ressorti, les tétons qui suintent...

! C'EST À VOUS !
Vos petits trucs bien à vous pour vous sentir bien...

SEMAINE 25

Le travail de connexion entre les cellules nerveuses se poursuit : les nerfs apparaissent, tissant une véritable toile dirigée de main de maître par le cerveau. Cela se traduit par encore plus de mouvements et de sensations dans votre ventre !

Le visage de votre bébé est maintenant complètement terminé. Sa peau continue de s'épaissir en surface avec le vernix caseosa, mais aussi en profondeur.

Bref, il se fait beau… et intelligent (comme sa maman !).

Sinon, votre utérus fait grosso modo la taille d'un ballon de foot. Pas étonnant que vous ayez du mal à vous pencher, et encore plus à vous relever !

⭐ De la tête aux pieds

Taille : 32 cm
Poids : 750 g

UNE PARESSEUSE AVERTIE EN VAUT DEUX :

• Ce regain d'activité peut vous fatiguer, alors n'oubliez surtout pas de vous reposer.

Un marché juteux

Vous marquez une pause devant la porte pour respirer un bon coup. Puis, le cœur battant, vous posez un pied timide dans le magasin. C'est énorme. Les rayons succèdent aux rayons. Il y a des piles de tout : de couffins, de jeux, de peluches et des rangées et des rangées de biberons, de vaisselle, de poussettes, de lits, de... Ça vous en pique les yeux. Arrêtez !!!

La vendeuse, sentant le pigeon à vingt mètres, vous met gentiment le grappin dessus. C'est normal, c'est une pro. Et la voilà qui vous emberlificote avec moult termes et détails techniques alors que vous, tout ce que vous vouliez, c'était acheter un couffin.

Que vous dire ? Que ça va être beaucoup plus compliqué que vous ne vous y attendiez. Et c'est sans parler de la facture, ô combien douloureuse, qui vous attend. Alors, planquez votre carte bleue au fond de votre sac, et prenez plutôt des notes pour y réfléchir tranquillement à la maison (voir page 126), demander conseil à vos copines/sœurs/collègues et voir s'il n'y a pas des solutions moins onéreuses. Là encore, pensez vide-greniers, dépôts-ventes, eBay, leboncoin.fr, etc.

Et tant qu'à passer des heures dans les magasins de puériculture, profitez-en pour piocher des idées pour faire une liste de naissance (très utile, voire absolument indispensable, pour éviter les cadeaux foireux de Tante Marcelle et ses copines du club de macramé).

 ## C'EST À VOUS !
Une ébauche de liste de naissance ?

_____

_____

_____

_____

PENSE PAS BÊTE

→ 4ᵉ visite prénatale obligatoire.

→ Faites une prise de sang et une analyse d'urine pour vérifier si vous ne faites pas du diabète gestationnel.

✚ *Notez ici toutes les questions que vous voulez poser à votre gynéco :*

Malgré le lanugo et le vernix caseosa, la peau de votre bébé est toujours suffisamment fine pour qu'on voie les vaisseaux sanguins en transparence, ce qui le fait paraître tout rouge. Ah, il en faut des étapes avant d'atteindre la beauté suprême !

Tiens, d'ailleurs, il continue à faire du gras. Et, autre détail important, l'ivoire de ses futures dents se couvre d'émail. Cheeeeeeeeeeeese !

Sinon, rien. Ah si ! Votre bébé fait maintenant de gros pipis et comme il n'a pas encore de couche, ça passe direct dans le liquide amniotique qu'il avale goulûment. Mais c'est pour la bonne cause : pour aider les poches d'air (ou alvéoles) de ses poumons à se former et ne pas coller. La nature est bien faite !

⭐ De la tête aux pieds

Taille : 33 cm
Poids : 870 g

Aqua, yoga ou atchic, atchic, atchic, aïe, aïe, aïe ?

À l'heure qu'il est, vous avez dû faire le tour des cours de grossesse disponibles près de chez vous et trouvé la méthode qui vous convient le mieux :

• les tradi sans les fameux halètements de petit chien qui, c'est officiel, ne servent à rien ;
• les zen avec le yoga ou la sophrologie ;
• les conceptuelles : dans l'eau, dans une chambre « nature » équipée d'un grand lit et de murs lambrissés, en chantant...

Bref, tout est bon pour préparer au mieux la parturiente au marathon qui l'attend.

En plus des explications techniques (mais si, ça va passer, c'est fait pour), vous aurez droit à moult consignes : mettez-vous comme çi, placez-vous comme ça, inspirez comme çi, expirez comme ça. Un conseil quand même : ne faites pas trop compliqué car dans le feu de l'action, vous allez (presque) tout oublier (« Sortez-le-moi tout de suite de làààààààààààààà ! »). Mais grâce à ces cours, vous aurez une chance d'être un poil plus détendue et plus confiante qu'une paresseuse qui a zappé la préparation. À bonne entendeuse...

C'EST À VOUS ! Quelques envies et préférences en matière de cours de préparation à l'accouchement ?

UNE PARESSEUSE AVERTIE EN VAUT DEUX :

• Si vous avez mal au dos, n'oubliez pas de basculer le bassin vers l'avant. Essayez aussi de dormir avec un oreiller sous les genoux.

• Si c'est l'été, protégez-vous bien du soleil avec le trio magique : crème à forte protection, chapeau et lunettes pour ne pas avoir, en plus du reste, un masque de grossesse. Et si vous craignez de manquer de vitamine D, mangez des poissons gras et des laitages (voir page 32).

• Si jusque-là vous avez réussi à maintenir le sacro-saint cap du 1 kg par mois, ça risque de devenir plus compliqué car à partir de maintenant, vous allez théoriquement prendre entre 350 et 400 g par semaine.

• Si vous décidez de ne pas faire de préparation à l'accouchement, allez au moins faire un tour à la maternité pour repérer les lieux.

ALLAITER OU PAS ?

Maintenant que vous marchez le bidon en avant, vous vous attirez moult commentaires et questions indiscrètes qui ont le don de vous exaspérer comme celle, archidélicate, de l'allaitement. Pourtant, elle n'est pas si bête que ça, cette question, même si vous êtes tout à fait en droit de ne pas vouloir en parler avec votre charcutière.

Dur sujet que celui de l'allaitement. Dès qu'on l'aborde (même entre copines), c'est la scission. Il y a celles qui ont adoré, celles qui ont détesté, celles qui n'ont même pas daigné essayer (bouh !!!) et chacune de balancer ses arguments et ses théories ronflantes.

Pourtant, ça vaut la peine d'y penser très tôt car quelle que soit votre décision, il va falloir la mûrir... Si vous en avez la possibilité et que l'expérience vous tente, essayez d'assister à un cours de préparation à l'allaitement. Eh oui, ça existe et c'est très bien car, en plus de vous informer, on vous donnera tous les trucs pour que la mise au sein se passe bien (position du bébé, évaluation de ce qu'il boit, trucs et astuces pour que cela ne fasse pas mal...). Et surtout, ça vous donnera matière à réflexion car il n'y a rien de moins sûr que l'allaitement : ça peut être un ravissement comme ça peut être une énorme galère et tant qu'on n'a pas essayé, on ne sait pas dans quelle catégorie on va tomber. C'est ça, toute la difficulté. Si on connaissait l'avenir, le choix serait vite fait.

⟶ Alors en attendant, voici un tableau reprenant les avantages et les inconvénients des deux modes d'allaitement que sont le sein et le bib. À vous de remplir les cases vides...

Avantages

SEIN

- Il est toujours prêt, toujours dispo.
- C'est gratuit.
- On a un décolleté de folie.
- Ça booste l'instinct maternel.
- Le lait maternel se digère plus facilement que le lait artificiel.
- Ça protège le bébé des maladies (grâce aux anticorps maternels).
- C'est toujours à la bonne température.
- Cela habitue le bébé à différents goûts.

....

....

....

BIBERON

- Ça permet très vite d'impliquer le papa (surtout la nuit !!!).
- On voit ce que le bébé boit.
- On peut facilement passer le relais et on peut vite ressortir voir ses copines.
- Cela facilite le passage aux 4 repas par jour.
- On est plus vite d'humeur coquine...

....

....

....

....

Inconvénients

- *La mise en route peut être difficile et douloureuse.*
- *Ça revient très souvent au début, donc grosse fatigue...*
- *Pas touche au décolleté, le papa.*
- *Il faut continuer à avoir une hygiène de vie irréprochable.*
- *On ne sait pas ce que bébé boit.*

- *C'est cher (près de 800 euros par an !!!).*
- *Il faut d'abord le stériliser, le préparer, le chauffer...*
- *Cela nécessite beaucoup de matériel.*

Vous voilà bien avancée, n'est-ce pas? Oui, c'est une décision difficile à prendre. D'où l'importance d'y réfléchir longtemps à l'avance... et si possible avec votre chéri car même si ce sont vos seins, ce que vous en faites le concerne quand même un peu, non ?

Si en revanche vous ne jurez que par le biberon (même si c'est votre premier bébé), restez droite dans vos bottes. Ne vous laissez ni influencer, ni culpabiliser, ni intimider. Vous ne le sentez pas. Vous ne le sentez pas. Point barre. Ça ne se discute pas. Et il n'y a pas de honte à ça. La Terre est pleine de beaux enfants en parfaite santé exclusivement élevés au bib.

Et pour conclure, voici une excellente réflexion faite un jour par une amie paresseuse (qui a allaité ses adorables petites filles) : « Quand on a envie d'allaiter on ne se pose pas de questions. On le sent... Mais si on se pose des questions, c'est qu'on ne le sent pas ! »

SEMAINE 27

SA 29

prochain qui me touche le ventre, j' le mords !

⭐ De la tête aux pieds

Taille : 34 cm
Poids : 1kg

Youpi, youpi, vous venez de passer un grand cap : votre bébé est viable. Ça veut dire que s'il est pressé de faire votre connaissance, il vivra… bien qu'à ce stade, comme rien ne vaut le confort et la chaleur de l'utérus de môman, il devra certainement rester un peu en couveuse.
Même si elle a déjà commencé depuis quelques semaines, la myélinisation (le gainage) des nerfs continue pour favoriser les échanges nerveux. Et ça n'est pas près de s'arrêter puisque ça prend environ vingt ans !

UNE PARESSEUSE AVERTIE EN VAUT DEUX :

• Arrêtez le sport si vous ne voulez pas accoucher plus tôt que prévu. Prenez plutôt des cours de relaxation.

• À partir de maintenant, tout est bon pour dormir, quitte à investir dans des boules Quies, un masque à yeux et un coussin de maternité pour bien vous caler. Et si vous dormez mal la nuit, essayez de faire des siestes.

Culbuto, monstre de foire…

Dire qu'il y a encore quelques semaines, vous rêviez que « ça se voit » Que plus personne n'ait peur de faire une gaffe en vous voyant, genre « euh... elle a vraiment grossi, là, où elle est enceinte ? » Qu'on vous cède une place assise dans le bus avec un grand sourire complice... Bref, de faire officiellement partie de cette espèce vénérée et secrètement enviée des futures jeunes mamans.

Voui mais voilà... D'abord, on vous pose des questions vraiment déplacées (« Bé dis donc, y'en a combien là-dedans ? », « Tu as pris combien de poitrine ? »). Et puis, au lieu de vous regarder dans les yeux, on vous regarde dans le ventre. Pire, on vous le tripote sans même vous demander votre avis. Eh oui, chère amie, quand on devient une icône, il faut supporter tout ce qui va avec, dont un excès d'idolâtrie et de tripoterie qui peut taper sur le système de certaines...

Alors, si vous ne voulez pas que l'on vous pelote à tout bout de champ, annoncez la couleur clairement en le disant, en portant un tee-shirt à message genre « pas touche » ou en décochant un regard à la Kill Bill.

Sinon, grognez en montrant les dents !

PENSE PAS BÊTE

Si ce n'est pas encore fait, inscrivez-vous à un cours d'accouchement, même si ce n'est pas votre premier bébé. Ça ne fait jamais de mal de réviser !

C'EST À VOUS ! Notez ici vos répliques qui tuent pour barrer la route aux fâcheux...

_____

_____

_____

_____

À force de stocker de la graisse, est arrivé ce qui devait arriver : votre bébé commence à avoir de jolies rondeurs. Et quitte à se faire beau, il perd son fin duvet (le lanugo) par plaques. Comme ces dernières semaines, le gros du travail se fait au niveau du cerveau qui continue de grossir et donc d'écarter les os de son crâne. Pas de panique, c'est fait pour ! Il contrôle désormais sa respiration qui se fait plus régulière, mais aussi sa température interne. Et, avec l'arrivée à maturation de son cortex cérébral, il va pouvoir éprouver des sentiments et commencer à stocker des souvenirs, ce qui explique pourquoi les bébés se calment quand on leur chante des airs entendus pendant la grossesse. À votre micro !

⭐ De la tête aux pieds

Taille : 35 cm
Poids : 1,150 kg

Une paresseuse avertie en vaut deux :

• Arrêtez les déplacements (à moins de vouloir un abonnement à la SNCF à vie, ce qui risque d'arriver si vous ne vous calmez pas et que vous accouchez dans le train).

Déphasage

C'est simple, vous ne le reconnaissez pas. Votre chéri qui vous a tannée pendant des années pour avoir un héritier n'a l'air absolument pas concerné par votre grossesse, hormis une petite caresse vite fait sur le ventre quand il se sent obligé. Pire, il est tendu, irritable... voire insupportable quand il est là – car il passe le plus clair de son temps au boulot.

Mais qu'est-ce qui se passe dans sa petite tête ? Eh bien, il angoisse, très chère, même s'il n'en a pas forcément conscience. Il a peur, en vrac :

• que le bébé ne soit pas normal ;
• de vous voir (ou devoir) aller à l'hôpital (pour lui, *Massacre à la tronçonneuse*, c'est de la rigolade à côté) ;
• de refaire les mêmes erreurs que son père ;
• que vous gardiez vos kilos ;
• que vous lui refusiez votre couche à vie ;
• que vous deveniez une maman à 100 % ;
• du coût financier de cette petite folie.

S'il se ferme comme une huître à chaque tentative de dialogue, demandez à l'un de ses copains de lui parler, achetez-lui un bouquin de jeune papa rigolo et dédramatisant, incitez-le à traîner du côté des sites spécialisés dans le *daddy-blues*... Et prenez votre mal en patience, ça va passer à condition d'y mettre aussi un peu du vôtre. Mais ça, c'est une autre histoire !

PENSE PAS BÊTE

➦ Commencez les cours de préparation à l'accouchement et si votre chéri ne peut pas (ou refuse) d'y aller, envoyez-le faire une déclaration de naissance anticipée pour qu'il s'implique un minimum. Ça se fait à la mairie avec une pièce d'identité et une attestation de grossesse. Ça devrait être dans ses cordes...

✚ *Notez ici toutes les questions que vous voulez poser lors des cours de préparation :*

je refuse de me peser

Votre bébé est de plus en plus à l'étroit dans votre ventre, ce qui limite considérablement ses mouvements. Fini le trampoline sur les parois de l'utérus, il donne juste quelques bons coups de pieds pour vous rappeler sa présence ou parfois, hoquette, ce qui vous fait sourire ! Ses paupières sont maintenant entièrement bordées de cils et laissent apparaître, quand elles s'ouvrent, des yeux bleu foncé. Il a aussi maintenant le sens du goût et est capable de faire la différence entre une choucroute et une mousse au chocolat (ou presque...). Tous ses organes fonctionnent, à l'exception des poumons et des intestins qui ne sont pas encore complètement terminés.

 De la tête aux pieds

Taille : 36 cm
Poids : 1,3 kg

UNE PARESSEUSE AVERTIE EN VAUT DEUX :

• Petite piqûre de rappel car c'est plus important que jamais : lavez soigneusement les fruits et les légumes, faites bien cuire la viande, oubliez les fromages au lait cru, les fruits de mer et, si vous n'êtes pas toxoplasmose-proof, évitez de tripoter les chats et les chiens.

✳ « *Quel bidon,* *dis donc, dondon !* »

Voilà... vous êtes entrée dans la zone noire de la grossesse. Celle où la balance s'affole. Où l'on grossit rien qu'en regardant un paquet de biscottes allégées. Où l'on ne sait plus comment s'habiller pour être bien. Où, pour certaines, malgré les tonnes de crème et d'huile utilisées, le ventre explose d'un coup (chères vergetures...). Où devant le plus petit obstacle (charger la machine à laver, aller acheter du pain, monter deux marches), on doit faire un gros effort mental pour se motiver. Où, au lieu de s'extasier, les autres prennent un air contrit, désolé, voire angoissé... et vous balancent mille et une délicatesses : « Waouh, tu es énorme ! », « Tu as dépassé le terme ? », « Comment tu arrives encore à te déplacer avec un ventre comme ça ? », « Tu veux que je te prête ma brouette ? », « Franchement, tu devrais faire attention à ce que tu manges. »

Et où on voudrait vraiment, mais alors là vraiment, qu'on nous fiche la paix !

❗ C'EST À VOUS !
La to-do-list du congé maternité qui s'approche !

_____

_____

_____

_____

_____

_____

_____

PENSE PAS BÊTE

↪ 5ᵉ visite prénatale obligatoire.

↪ Faites une prise de sang et une analyse d'urine.

➕ *Notez ici toutes les questions que vous voulez poser à votre gynéco :*

À ce stade, le système reproducteur des filles est complètement en place avec une quantité phénoménale d'ovocytes de top qualité (quelques millions à tout casser). Survie de l'espèce oblige…

Le système reproducteur des garçons est aussi parfaitement formé avec les testicules qui continuent leur longue descente vers le scrotum. Maintenant, votre bébé a tellement forci qu'il prend tout le volume de l'utérus. Mais ne vous inquiétez pas, ça ne va pas l'empêcher de continuer à grossir. Tout bien réfléchi, si, vous pouvez vous inquiéter ! Comme il ne peut plus beaucoup bouger, il suce frénétiquement son pouce. Un défouloir comme un autre… Et normalement, s'il est dans les temps et pas trop paresseux, il devrait avoir la tête en bas prêt à débouler dans ce beau monde.

à toute, j'vais chez mes potes !

⭐ De la tête aux pieds

Taille : 37 cm
Poids : 1,5 kg

UNE PARESSEUSE AVERTIE EN VAUT DEUX :

• Scannez les échographies de bébé pour qu'elles ne s'abîment pas avec le temps.

La tension monte...

Côté prénom, c'est toujours le point mort avec d'un côté, Poséidon (« Mais comment a-t-il pu avoir cette idée tordue ? ») et de l'autre, Jean-Charles (« Mais comment peut-elle être aussi classique ? »)

Et puis votre chéri refuse, encore à l'heure actuelle, de mettre un pied à la maternité.

Et puis il vous fait des remarques désobligeantes sur votre poids alors que lui aussi, il est devenu gros et moche (c'est la fameuse couvade, ma chère).

Et puis vous flippez à l'idée de la charge de travail et de fatigue qui vous attend, mais vous n'osez pas aborder la délicate question de la répartition des tâches...

Enfin, vous êtes scotchée par son immaturité : il saute sur la moindre occasion pour sortir (ou partir) avec ses copains, il passe ses week-ends au lit devant TV Foot, il appelle sa mère trois fois par jour, il mange avec les doigts, il ne sait acheter que des pizzas...

Un futur papa, ça ? Un gamin, oui ! Et ventripotent, en plus ! Il y a de quoi avoir peur, non ?

Allez, courage, c'est la dernière ligne droite. L'arrivée de bébé devrait le faire grandir d'un coup.

 ## C'EST À VOUS !

Votre accouchement... vous l'imaginez comment ?

_____

_____

_____

_____

PENSE PAS BÊTE

→ 3ᵉ échographie.

➕ *Notez ici toutes les questions que vous voulez poser lors de l'échographie :*

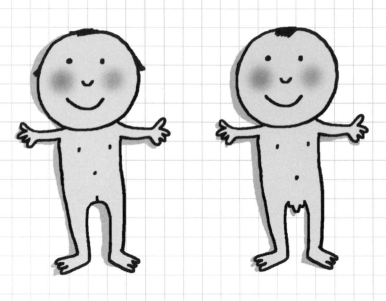

TROISIÈME ÉCHOGRAPHIE

Théoriquement, c'est le dernier rendez-vous avec votre bébé avant de le voir pour de vrai… même si, cette fois, ça va être en « pièces détachées » façon puzzle car il a tellement grandi qu'il ne tient plus d'une seule pièce dans l'écran. Ah ! qu'elle est loin la petite tortue du début !

C'est aussi l'occasion où jamais de voir son zizi si le petit coquin vous l'a caché la dernière fois. Mais il peut récidiver… Donc, à moins que l'échographiste tombe pile poil sur l'objet souhaité, rien ne vous certifie que vous aurez enfin la réponse à votre question, à savoir s'il faut commencer à vous documenter sur Hello Kitty™ ou Pokémon™ (car, ne rêvez pas, vous n'y échapperez pas !).

Pendant que vous vous userez les yeux à scruter son entrejambe, l'échographiste vérifiera si votre bébé grandit bien, si votre col est bien fermé, si le placenta et le cordon sont bien placés et s'il a la tête en bas… autant de choses permettant de préparer au mieux l'accouchement.

Il va aussi, à force de mesures et de calculs compliqués, estimer son poids (la bonne blague !). À ce sujet, si on vous annonce un gros bébé, ne paniquez pas. Ce n'est pas une science exacte et bon nombre de paresseuses à qui on avait annoncé un sumo, ont accouché d'un bébé aux proportions tout à fait raisonnables. Ça vous donnera quand même une idée de la taille des vêtements à prévoir en quantité en sachant qu'un bébé de taille moyenne peut s'habiller en 1 mois dès la naissance…

Et voilà, c'est déjà fini… Maintenant, pour le revoir, il va falloir attendre les présentations officielles dans quelques semaines.

*Collez ici
une photo de l'écho*

QUI VA GARDER BÉBÉ ?

Mon Dieu, quelle pression !
Vous n'avez même pas accouché
qu'on vous demande déjà
de penser à ce que vous allez faire
de votre future progéniture.
Soit, on exagère, mais si peu...

j'suis pas dingue de mon cul d'éléphant

La vérité, c'est qu'il va falloir décider très, très vite de la suite de votre grossesse, surtout si vous comptez retravailler après votre congé de maternité.

S'offrent à vous plusieurs modes de garde dont les principaux sont : les assistantes maternelles, les crèches et les grands-parents, avec chacun, bien sûr, leurs avantages et leurs inconvénients. À compléter sans modération...

Avantages

ASSISTANTES MATERNELLES

- *Les sympas acceptent de prendre bébé lorsqu'il est malade (avec ses médocs).*
- *Les très cool ont des horaires souples et tiennent compte des contraintes professionnelles des parents.*
- *Elles respectent le rythme de l'enfant.*
- *Elles ont peu d'enfants et peuvent donc se consacrer pleinement à chacun.*
- *Moins d'enfants = moins de risques de maladie.*
- *Elles ont accès à toutes sortes d'activités d'éveil (via le relais).*
- *C'est le seul et unique interlocuteur des parents.*

CRÈCHE

- *Le prix est adapté aux revenus des parents.*
- *L'endroit est ultra-sécurisé mais... (voir ci-contre)*
- *Le personnel est qualifié et de confiance.*
- *Nombreuses activités difficiles à reproduire à la maison.*
- *Cela apprend à bébé à vivre en communauté.*

HALTE-GARDERIE

- *Les mêmes que pour les crèches.*

GRANDS-PARENTS

- *On les connaît par cœur.*
- *Ils n'ont pas d'horaires.*
- *On leur fait entièrement confiance.*
- *C'est pas cher.*

- *Toute la paperasse à faire (contrat, fiches de paie, démarches administratives...).*
- *Les relations employeur/employé qui peuvent parfois méchamment dégénérer...*
- *Difficile de faire confiance à une inconnue...*
- *Avec elle, bébé est charmant, patient, pas colérique, gourmand...*
- *Il faut partager l'amour de bébé avec une inconnue.*
- *C'est cher, mais on s'y retrouve vite (Paje + réduction d'impôts).*
- *Vous pouvez avoir une autre notion de « l'éveil culturel » qu'elle.*
- *C'est votre seul interlocuteur, donc grosse galère si elle tombe malade ou si elle vous lâche brusquement.*

- *Passer de l'exclusif (maman) au « tout collectif ».*
- *C'est plein de microbes !*
- *On ne peut pas y mettre un enfant malade.*
- *C'est très fatigant pour un petit bout.*
- *Les horaires sont incompatibles avec certains métiers.*

- *Uniquement pour les mamans qui ne travaillent pas.*
- *Les horaires sont très limités.*

- *Les risques d'ingérence.*
- *Les remarques désobligeantes.*
- *Les critiques.*
- *Les clashs générationnels : « Mais maman, je n'ai plus 8 ans !!! »*

Pas simple, hein ? On ne vous le fait pas dire. Mais peut-être que, par manque de place dans les crèches, vous n'aurez pas le choix (surtout avec des grands-parents toujours en vadrouille !) et vous devrez passer par la case « assistante maternelle ». Quoi qu'il en soit, faites les démarches le plus vite possible pour boucler l'affaire rapidement et vous éviter un gros stress à une semaine de la reprise !

➡ Autre option : rester à la maison... Même si jusque-là, vous avez tout investi dans votre carrière, vous allez probablement à un moment ou à un autre être tentée de prendre un congé parental (après le congé de maternité) pour profiter de bébé, être le témoin de chacun de ses progrès et pouvoir tout gérer sans stress, d'autant plus que les nouvelles que vous avez du boulot ne sont pas folichonnes...

Si l'expérience vous tente, commencez par contacter la CAF et la Sécu (ou allez sur ameli.fr) pour connaître vos droits et le montant de l'indemnité (quoi ? si peu ?).

Ensuite, étudiez la question sous tous les angles avec votre chéri car la décision de retravailler ou pas va avoir un impact certain :
- sur vos finances même si, bien sûr, vous n'aurez pas de frais de garde à payer et pas de « tenues de travail » à acheter ;
- sur votre organisation de vie (vous, coincée à la maison et lui, au bureau) ;
- sur votre moral car être mère au foyer est une vraie vocation !
- sur votre réseau professionnel qui, au fil du temps, va se réduire comme peau de chagrin.

L'essentiel, c'est de prendre la décision à deux pour en assumer ensemble et sereinement les bons comme les mauvais côtés.

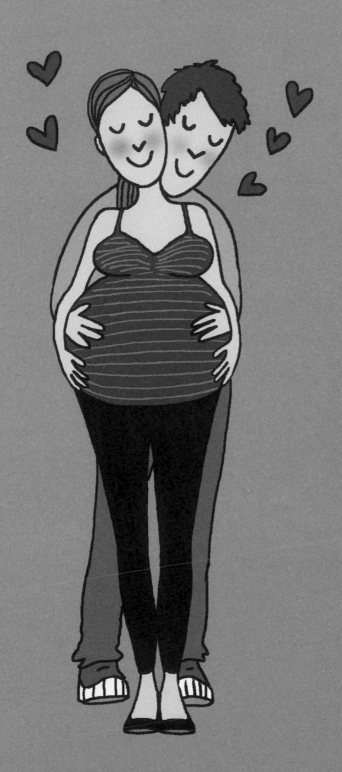

Le développement de votre bébé est quasiment achevé hormis quelques finitions de-ci de-là. Normalement il a tout ce qu'il faut là où il faut et maintenant, il n'a plus qu'à grandir et grossir.... « Euh... pas trop quand même parce qu'il va falloir le sortir », pensez-vous. Exact, mais rassurez-vous, la nature est bien faite et le vagin a une capacité phénoménale à se dilater. Et au moindre doute (surtout si votre bébé ne daigne pas se retourner), on mesurera la largeur de votre bassin pour être sûr que ça passe. Donc tout ira bien.

bientôt je te tiendrai dans mes bras V

⭐ De la tête aux pieds

Taille : 39 cm
Poids : 1,7 kg

UNE PARESSEUSE AVERTIE EN VAUT DEUX :

• Si vous êtes très fatiguée, demandez à votre médecin de vous mettre en congé pathologique, c'est-à-dire de vous arrêter deux semaines avant la date officielle de votre congé mat'. En revanche, si vous êtes en forme, attendez pour vous arrêter, quitte à dépasser la date de l'arrêt officiel (n'oubliez pas alors de demander un certificat médical). Ça vous fera des jours de congé en rab après la naissance.

Ultimes trouilles

Au lieu de grimper de joie aux rideaux (ce qui, dans votre état, aurait été un sacré exploit), vous voilà de nouveau terrassée par l'angoisse.

En vrac : « C'est donc vrai ! Ce n'est pas de l'aérophagie. C'est un vrai bébé qui va bientôt sortir (ouille), qu'il va bientôt falloir nourrir, laver, veiller... Mais qu'est-ce qu'on a fait !!! En plus, c'est tout pollué à l'extérieur. Et puis, il y a la crise, les catastrophes météorologiques, la faim dans le monde... Et si je perdais mes eaux au supermarché... Et si j'arrivais trop tôt/trop tard à la maternité... Et si je faisais pipi voire pire sur la table d'accouchement (et alors ? entre nous, ils en voient d'autres !) Et si... »

Sans parler des histoires d'accouchement forcément horribles que certaines « bonnes » copines vous ont racontées.

Allez, on inspire, on expire... Rassurez-vous, on est toutes passées par là. En attendant le grand jour, l'important est de vous protéger de toute chose ou de toute personne potentiellement stressante.

 C'EST À VOUS ! Et Super Papa, où en est-il dans tout ce bazar ? A-t-il pris 15 kg ? Est-il excité comme une puce ou calme comme un Jedi ?

_____

_____

_____

_____

_____

inspirer, expirer ...

*Que dire de bien original ?
Cette semaine, votre bébé va grandir
et grossir. Waouh ! Dingue !
Ça vous en bouche un coin, hein ?
Quoi d'autre ? Eh bien, il va
commencer à faire des stocks de fer,
de calcium, de phosphore
(quitte à vous en piquer au passage)
pour bien grandir et consolider son
squelette même si, rassurez-vous,
ses os vont rester suffisamment
tendres et flexibles pour pouvoir
épouser la forme de l'étroit passage
qu'il va bientôt emprunter…
Et surtout, il a de plus en plus
conscience de son environnement,
des bruits, bien sûr, mais aussi de ce
qui l'entoure : le liquide amniotique,
le cordon ombilical…*

⭐ De la tête aux pieds

Taille : 40,5 cm
Poids : 1,9 kg

➕ **Une paresseuse avertie
en vaut deux :**

• Profitez de votre arrêt pour faire de jolis
faire-part (ou les précommander sur Internet)
car sinon, prise entre les tétées et les lessives,
vous ne le ferez pas avant six ans !

✿ *Ça vous chatouille ou ça vous gratouille ?*

« Tu verras, au 8ᵉ mois, tu auras une envie de sexe incroyable. » Depuis qu'une copine bien attentionnée vous a confié ce secret bien gardé, vous comptez presque les jours, toute impatiente d'être à nouveau brûlante comme la braise.

Oui, mais voilà. Pour être brûlante, vous êtes brûlante... sauf que ce n'est pas de désir. C'est juste que votre ventre travaille et pèse tellement maintenant que vous ne pouvez pas faire un pas, de la démarche alerte d'un pingouin, sans dégouliner de sueur.

Et puis, ça vous tire et ça vous gratte de partout car votre peau commence à atteindre ses limites d'élasticité (huilez, huilez, huilez !). D'ailleurs, votre ventre est tellement énorme que vous êtes obligée de porter une ceinture de grossesse et que vous avez ressorti les vieux caleçons de votre chéri qui étaient enfin en partance pour la déchetterie (les caleçons, pas le chéri). Comme quoi, il avait raison de les garder...

Et même que l'autre jour, au supermarché, vous avez senti vos jambes lâcher sous vous. Heureusement que vous étiez agrippée au Caddie, sinon vous vous seriez affalée par terre. Là encore, c'est normal. Ce sont vos articulations qui travaillent, qui s'étirent pour laisser passer le petit.

Alors, pour la gaudriole, ça attendra encore un peu !!!

❗ C'EST À VOUS ! Quelques conseils de bonnes copines (j'ai dit : de bonnes copines) pour le jour J.

_____

_____

_____

_____

PENSE PAS BÊTE

➲ 6ᵉ visite prénatale obligatoire.

➲ Faites une prise de sang et une analyse d'urine.

➲ Début officiel du congé de maternité.

➕ *Notez ici toutes les questions que vous voulez poser à votre gynéco :*

Les intestins de votre bébé continuent de se remplir de méconium (ses futurs cacas de nouveau-né), copieusement arrosé du pipi qu'il absorbe en buvant le liquide amniotique.

Là, s'il suit un peu les choses et qu'il ne l'a pas encore fait, il devrait se retourner car plus les jours passent, plus il grossit et plus il va avoir du mal à le faire. Alors, bébé, si tu nous lis, c'est maintenant ou jamais ! Sinon, tout est au point et fonctionnel, sauf les intestins et les poumons qui ont encore besoin de petits fignolages.

⭐ De la tête aux pieds

Taille : 42 cm
Poids : 2,1 kg

Une paresseuse avertie en vaut deux :

• Même si vous avez opté pour un accouchement « roots », allez à la réunion d'info sur la péridurale et prenez rendez-vous avec l'anesthésiste. On ne sait jamais, des fois que vous changiez brutalement d'avis en pleine action… C'est arrivé aux plus braves !

Au secours, rien n'est prêt !

Votre meilleure copine, enceinte en même temps que vous (comme le monde est bien fait) vient d'accoucher un mois avant le terme. Du coup, c'est la panique. Non seulement votre chéri n'a pas encore mis le premier coup de peinture dans la future chambre de bébé et n'a pas encore commandé les meubles, mais, pire encore, vous n'avez aucun vêtement de naissance hormis les nanards que vous a refilés Tante Armande.

Eh oui, pendant la grossesse, on a une drôle de perception du temps. D'un côté, il paraît s'allonger à l'infini :

• au début quand on attend d'avoir un vrai bébé dans le ventre et non un clone de Carapuce, une tortue Pokémon™ (on y revient...) ;
• au milieu quand on attend de le sentir bouger ;
• et surtout à la fin quand on compte les jours, les heures, les minutes qui nous séparent du premier câlin.

Tout ça pour dire, qu'en effet, il serait temps de vous préparer !

PENSE PAS BÊTE

Envoyez votre arrêt de travail (rempli et signé par votre employeur) à la Sécu.

Notez ici toutes les questions que vous voulez poser à l'anesthésiste :

C'EST À VOUS ! Dernière ligne droite...
Des choses à régler en urgence ?

SEMAINE

34

SA 36

Ah, les crocrocro
les crocrocro, ♪
les crocodiles
♫
↓

⭐ De la tête aux pieds

Taille : 43 cm
Poids : 2,2 kg

L'une des principales activités de votre bébé est de faire pipi : il en répand ainsi environ deux cuillerées à soupe par heure. Il continue aussi d'accumuler du méconium qui peut, dans certains cas rares (maladie infectieuse de la mère), passer dans le liquide amniotique. Dans ce cas, on déclenche l'accouchement pour ne pas faire courir de risques inutiles au bébé. Sinon, il fait presque sa taille de naissance mais il va encore prendre du poids. Comme l'espace manque pour bouger, à défaut de grands mouvements, il fait plein de grimaces, le coquin ! Et pendant ce temps votre ventre enfle, enfle... Enfin, good news, il est de plus en plus beau. Finie la peau ridée... vive les bourrelets !

UNE PARESSEUSE AVERTIE EN VAUT DEUX :

• Allez chez le coiffeur, l'esthéticienne, la manucure... Bref, faites-vous belle tant que c'est encore possible.

• Soyez charmante avec les gynécos et sages-femmes de la maternité pour être dans leurs petits papiers (et pas sur leur liste noire).

✳ *Melchior, Gaspard ou Baltazar ?*

On a rarement vu une situation aussi bloquée depuis le sommet de Copenhague. Les deux camps campent sur leurs positions un couteau entre les dents. Personne ne veut céder d'un pouce. Dès que l'un essaie d'aborder le sujet, l'autre dégaine ses exocets.

Vous n'allez quand même pas l'appeler Poupinet, ce petit (c'est son nom de code) ! Alors que faire ? Voici quelques idées 100 % paresseuses :

• reprendre tout à zéro, en prenant d'autres directions (« Tiens, on n'avait pas pensé aux prénoms de personnages célèbres ») ;
• tirer au sort en promettant le choix du prénom du deuxième enfant au perdant ou en mettant le choix du perdant en deuxième prénom ;
• faire un sondage auprès de vos proches en vous jurant mutuellement de respecter leur choix ;
• attendre le jour J en espérant qu'en voyant la tête de bébé, le choix s'imposera de lui-même.

Bon courage !

❗ **C'EST À VOUS !** Petit tour d'horizon des sages-femmes et autres gynécos que vous risquez de recroiser quand vous aurez les quatre fers en l'air.

_____

_____

_____

_____

_____

PENSE PAS BÊTE

🔄 Maintenant, normalement, visite de contrôle tous les 15 jours.

🔄 Prélèvement du liquide amniotique (amnioscopie) si votre gynéco craint la présence de particules de méconium.

comment ça marche ce truc ?

9e MOIS

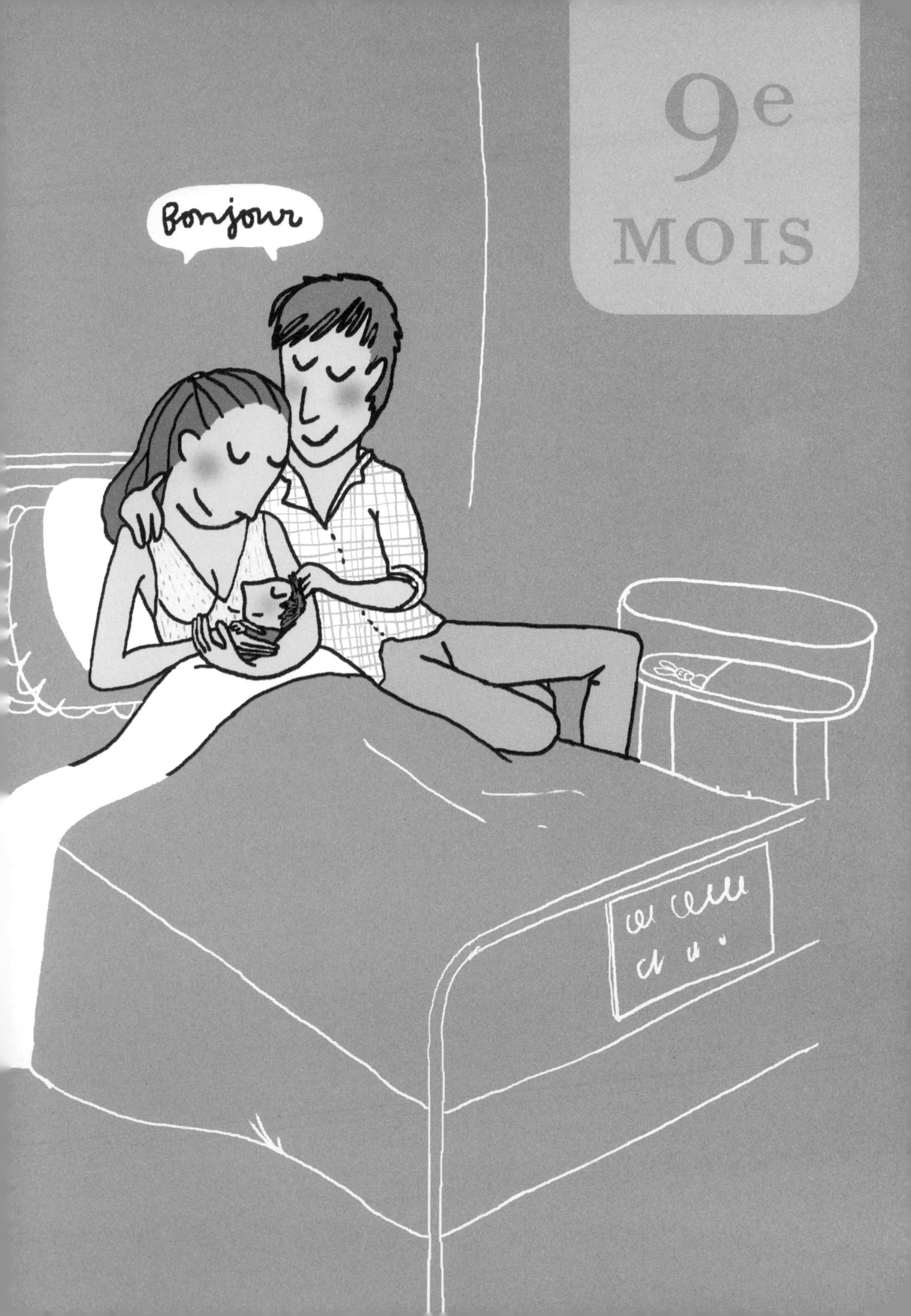

Dernière ligne droite. L'opération « défripage » continue grâce au gras qui n'en finit pas d'apparaître sous sa peau. Le lanugo a quasiment disparu et votre bébé descend dans votre bassin, d'où une certaine pression sur le périnée !

Son système immunitaire se développe vite car dans quelques semaines, ses anticorps devront prendre le relais des vôtres.

Votre placenta fait maintenant 20 cm de diamètre pour 3 cm d'épaisseur, et pèse 500 grammes. Ce sera toujours ça de moins sur la balance après l'accouchement. Dans le genre, sachez aussi qu'en l'état actuel des choses, votre utérus fait un bon kilo et qu'il va reprendre sa taille et son poids normal très vite après la naissance.

⭐ De la tête aux pieds

Taille : 45 cm
Poids : 2,4 kg

✚ **Une paresseuse avertie en vaut deux :**

• Préparez votre valise (voir page 127).

• Si c'est votre premier bébé, vous vivez vos dernières nuits complètes avant longtemps et vos dernières grasses mat' avant très, très, très longtemps, alors profitez-en !

Souvent homme varie...

Alors là, c'est un comble. Non seulement, votre chéri ne vous touche plus depuis l'annonce de votre grossesse, ne s'esbaudit pas devant votre ventre, s'est fait prier (supplier) pour vous suivre aux cours d'accouchement ou plutôt, devrait-on dire, AU cours d'accouchement car après le premier, il n'y a plus jamais remis les pieds (la faute à son chef, bien sûr, et à toutes ces réunions tardives...) et voilà maintenant qu'il vous annonce qu'il ne passera pas la porte de la salle de travail, même avec un pistolet sur la tempe. Comme si vous aviez le choix, vous !

Comme on est des gentilles filles, on va tenter de prendre sa défense. Bon, d'accord, il vous aime, mais toutes ces rondeurs lui ont fait perdre un peu ses repères. Il vous voit devenir une maman alors que pour lui, rien n'a changé. D'où la peur de ne pas vous retrouver comme avant.

Et puis, même si c'est un grand fan du Dr House, dans la vraie vie, il perd tous ses moyens devant une blouse blanche. Alors que dire d'une tache de sang... Et du sang, il va y en avoir.

Alors, oubliez les « super papas » qui sont déjà en train de recharger la batterie de leur caméra et s'exercent au maniement des ciseaux en vue de couper le cordon. Votre chéri à vous n'est pas comme ça, ce qui ne veut pas dire qu'il ne va pas assurer par la suite. Ne lui mettez pas la pression et acceptez qu'il zappe la salle d'accouchement en espérant que, dans le feu de l'action, il ne vous lâche pas d'une semelle et se laisse écrabouiller la main avec plaisir !

PENSE PAS BÊTE

Ne sortez plus sans votre carte Vitale, votre carte de mutuelle, votre carte de groupe sanguin et votre guide de surveillance médicale.

C'EST À VOUS !

En plus du matériel de base, petites choses perso à prévoir dans la valise.

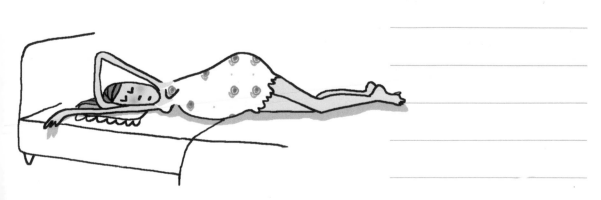

J'en peux plus !

Ben... pas grand-chose.
Ah si, le lanugo a disparu.
Tous les systèmes internes
de votre bébé sont achevés.
Il a des tas d'os, plus que vous,
qui vont fusionner au fil du temps,
et il a déjà 70 réflexes en boutique
programmés pour la survie.
Sa peau est de plus en plus tendue.
Il est de plus en plus grassouillet :
sa masse graisseuse représente
15 % de son poids.
Et il est donc...
de plus en plus mignon !

⭐ De la tête aux pieds

Taille : 46,5 cm
Poids : 2,650 kg

➕ **UNE PARESSEUSE AVERTIE
EN VAUT DEUX :**

• Préparez votre valise, nom de nom !

✳ *Ta pudeur dans ta poche tu mettras…*

Si vous étiez de celles qui fuient les gynécos encore plus que les dentistes (c'est dire le traumatisme), à raison d'une visite tous les mois avec farfouillage au plus profond de votre intimité, vous avez dû commencer à vous y habituer.

En tout cas, on vous l'espère, chère consœur paresseuse, car ce n'est rien par rapport à ce qui vous attend...

Le rythme va sacrément s'accélérer au cours des dernières semaines avec, bien sûr, la dernière visite obligatoire, mais aussi toutes les autres avant le terme et surtout, surtout le jour J. Quand vous arriverez à la maternité, autant vous le dire tout de suite, vous allez avoir l'impression de voir défiler tout le service entre vos jambes, chacun y allant, bien sûr, de son petit commentaire : « Ouh, déjà ? », « Eh ben dis donc... », « Eh, les gars, venez voir. Vous en pensez quoi, c'est dilaté de 4 ou de 5 cm ? »

Consolez-vous en vous disant que ce n'est pas vous qu'ils regardent mais un vagin lambda en état de surdilatation. Top romantique, non ?

⬤ PENSE PAS BÊTE

➲ 7e et dernière visite prénatale obligatoire.

➲ Faites une prise de sang et une analyse d'urine.

➕ *Notez ici toutes les questions que vous voulez poser à votre gynéco :*

❗ C'EST À VOUS !

Un retour à la maison... ça s'organise !
Dressez la liste des instructions pour Super Papa.

Après le lanugo, c'est au vernix de commencer à partir par plaques. Sinon, votre bébé, de plus en plus à l'étroit dans votre utérus (il a pris 300 grammes en une semaine !), est tout replié sur lui-même, prêt à faire une entrée fracassante sur scène.
Et vous, vous n'en pouvez plus !

⭐ De la tête aux pieds

Taille : 47 cm
Poids : 2,9 kg

UNE PARESSEUSE AVERTIE EN VAUT DEUX :

• Courage, c'est bientôt fini ! D'ailleurs, vu le nombre de fois que le téléphone sonne (« Toujours là ? »), vous sentez la pression monter.

Je veux accoucher !

Si on vous avait dit un jour que vous seriez impatiente d'aller accoucher, vous ne l'auriez pas cru. Et pourtant... maintenant que vous êtes échouée telle une éléphante de mer sur la banquise (en plus jolie quand même !), vous ne rêvez que d'une chose : vous délester de votre petit fardeau !

Eh oui, la nature est bien faite. Après les premiers mois de mise en route plus ou moins duraille et l'état de béatitude du deuxième trimestre, tout est mis en œuvre pour vous donner une furieuse envie de vous mettre à la corde à sauter les dernières semaines.

Vous ne rêvez que d'une chose : revoir vos pieds, ne plus avoir besoin d'assistant pour vous habiller et vous chausser, remonter les escaliers quatre à quatre, ne pas être obligée de vous asseoir par terre pour vider la machine à laver ou fouiller dans un placard, et surtout sortir, faire du shopping, revoir du monde autrement qu'en position allongée.

Du coup, vous n'avez qu'une envie : accoucher !

C'EST À VOUS !
Vos exercices préférés pour rester ZEN !

_____

_____

_____

_____

_____

_____

_____

PENSE PAS BÊTE

➤ Si le bébé se présente par le siège, on vous fera sans doute une nouvelle radiopelvimétrie (en d'autres termes moins châtiés : une mesure du bassin pour être sûr que ça passe).

➤ Décerclage pour celles qui ont été cerclées (ce qui ne veut pas forcément dire que votre bébé va arriver dans la foulée...).

Bonjour, papa. Bonjour, maman. Vous avez vu comme je suis beau ? Bon, soit, ça n'est pas si rapide, mais au final, ça donnera ça : ouin, ouin, petite (ou déluge de larmes), comptage de doigts et de doigts de pieds, première tétée et premier gros câlin. Savourez !

⭐ De la tête aux pieds

Taille : 50 cm
Poids : 3,3 kg

➕ UNE PARESSEUSE AVERTIE EN VAUT DEUX :

• Juste avant de partir et si les contractions ne sont pas encore trop rapprochées, prenez un bain ou une douche, allez aux toilettes, buvez une boisson bien lourde et bien sucrée pour avoir des forces (genre jus d'abricot ou chocolat chaud), mais ne mangez pas au cas où on devrait vous anesthésier.

• Si vous vous rendez à la maternité en taxi, demandez une facture pour vous faire rembourser par la Sécu. Et si vous y allez en voiture, toujours pour vous faire rembourser vos frais de déplacement, c'est un bon de transport qu'il faudra demander au secrétariat de la maternité.

❋ Les signes qui ne trompent pas...

C'est bizarre, ce matin, en vous levant, vous avez été prise d'une grande envie de tout nettoyer chez vous... Ou de finir la peinture de l'entrée laissée en plan depuis plusieurs mois... Ou de réorganiser entièrement vos placards... Ou de faire le vide dans la chambre du grand... Bref, vous avez une patate d'enfer et l'envie d'entreprendre mille choses.

Ou à l'inverse, vous avez un méga coup de barre et vous vous sentez nauséeuse. Ou alors, vous venez de trouver une boule de glaires au fond de votre culotte... Un conseil, si elle n'est pas encore prête, faites votre valise, les premières contractions ne devraient pas tarder. Et si vous mouillez votre culotte d'un coup (non, là, c'est pas du pipi), posez ce livre et foncez à la maternité car vous venez de perdre les eaux !

❗ C'EST À VOUS ! Racontez un merveilleux instant, un moment magique vécu lors de ces 9 mois trépidants.

_____

_____

_____

_____

_____

_____

_____

QUEL MATÉRIEL PRÉVOIR ?

*Plutôt que de vous en mettre des tartines et vous épuiser le neurone,
voici un petit tableau indiquant quel matériel prévoir pour la naissance
et les mois qui suivent (avec, en rose, ce qu'il faut avoir dès le début).
Le reste (et il y en a) est plus de l'ordre du gadget qu'autre chose.*

		Indispensable	Pratique	Quantité à prévoir	
DODO	Berceau		✗	1	
	Lit à barreaux (ou en Plexi)	✗		1	*sauf si vous démarrez avec un berceau*
	Turbulette	✗		2	
	Drap-housse	✗		2	
	Alèse	✗		2	*doublée de plastique léger*
	Tour de lit	✗		2	*si vous avez un lit à barreaux*
	Mobile	✗		1	
	Veilleuse		✗		*pratique si vous allaitez*
	Inclinateur de matelas		✗		*pour les bébés qui ont des reflux*
	Tétine		✗	2	*pour calmer son besoin de succion*
PLOUF-PLOUF	Table à langer	✗		1	
	Matelas à langer	✗		1	
	Baignoire	✗		1	
	Thermomètre de bain	✗		1	
	Siège de bain	✗		1	
	Cape de bain		✗	2	
MIAM-MIAM	Chaise haute	✗			
	Baby-cook	✗			
	Coquilles recueille-lait en plastique	✗		2	*si vous allaitez*
	Coussinets lavables anti-fuites	✗		plein !	*si vous allaitez*
	Crème de soin anti-crevasses type Lansinoh	✗		1	*si vous allaitez*
	Biberons et tétines	✗		6	*si vous n'allaitez pas*
	Stérilisateur pour micro-ondes	✗		1	*si vous n'allaitez pas*
	Chauffe-biberon		✗	1	*si vous n'allaitez pas*
	Goupillon	✗		1	*si vous n'allaitez pas*
	Bavoirs	✗		plein !	
JOUJOU	Transat (ou relax)	✗		1	
	Parc		✗	1	
	Nid d'éveil		✗	1	
BALADE	Kangourou, écharpe de portage		✗	1	
	Maxi-cosy	✗		1	*(sauf si vous avez une nacelle de voiture)*
	Châssis	✗		1	*(adapté au maxi-cosy)*
	Hamac (siège de poussette)		✗	1	
	Nacelle		✗	1	*(peut servir de berceau les premiers temps)*
	Siège-auto	✗		1	
	Lit parapluie	✗		1	
	Poussette-canne	✗		1	*pour la ville*

À METTRE DANS VOTRE VALISE...

Petite check-list à compléter, pour avoir tout ce qu'il faut sous la main le jour J.

Pour vous :
- Carte Vitale ;
- Carte de mutuelle ;
- Carte d'identité ;
- Carte de groupe sanguin ;
- Livret de famille si vous en avez un (ou reconnaissance anticipée) ;
- La crème avec laquelle vous préparez vos mamelons au rude travail qui les attend si vous comptez allaiter (les préférées des paresseuses ? Castor Equi, Lansinoh ou Calendula de Boiron) ;
- Toujours si vous souhaitez allaiter : deux soutiens-gorge spéciaux, des coussinets absorbants, des coupelles ;
- 2 pyjamas ou chemises de nuit (qui s'ouvrent sur le devant en cas d'allaitement) ;
- 1 paire de chaussons ;
- Des chaussettes ;
- Des serviettes hygiéniques méga absorbantes (beaucoup plus confortables et ergonomiques que celles de la maternité) ;
- Vos affaires de toilette ;
- Votre maquillage. Non ? Si ! ;
- Au moins deux jolies tenues fluides pour être à l'aise mais qui donnent bonne mine (pensez aux photos...) et qui s'ouvrent devant si vous voulez allaiter ;
- 2 gilets ;
- Une paire de sandales (non, de grâce, pas de piscine) ou de baskets ;
- Une taie d'oreiller colorée (toujours pour la bonne mine et les photos) ;
- Tout ce qu'on ne trouve pas dans une maternité : du bon thé, des fruits mûrs, quelques (on a bien dit « quelques ») douceurs...
- Des magazines, un mp3, des sudokus, un appareil photo...

- Un sac pour mettre votre linge sale ;
- Un bon oreiller, des boules Quies (pas d'inquiétude, vous entendrez bébé !) et un masque pour les yeux pour bien dormir, surtout si vous avez une voisine de chambre ;
- Une bouteille d'eau ;
- Un brumisateur.

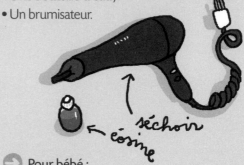

séchoir

éosine

Pour bébé :
- Une tétine ;
- 5 bodys ;
- 5 pyjamas ;
- 2 brassières ;
- 1 bonnet de naissance ;
- 1 gigoteuse (ou turbulette) ;
- 1 tenue complète pour la sortie ;
- Sa première peluche ;
- Moult bavoirs ;
- Des chaussettes ou des petits chaussons
- Des langes de coton qui vous serviront à tout !
- Et, si la maternité n'en fournit pas, des serviettes-éponges et un produit nettoyant ultra-doux spécial bébés.

Dans la même collection...

... et toujours chez les Paresseuses :

Conception graphique
Noémie Levain

Suivi éditorial
Clémentine Sanchez

Imprimé en Espagne par Macrolibros
pour les Éditions Marabout
Dépôt légal : janvier 2012
ISBN : 978-2-501-07168-0
4075842-09